ESCRITOS SOBRE APRENDIZAJE:
RECOPILACIÓN

Inscripción Nº: 179.163
© Rafael Echeverría

Esta edición se terminó de imprimir en
Lom Ediciones en abril de 2009.

I.S.B.N. : 978-956-306-052-2

Dirección : Juan Carlos Sáez
Diagramación : José Manuel Ferrer Barrientos

Edita y distribuye
Comunicaciones Noreste ltda.
jcsaezc@vtr.net • Casilla 34-T Santiago
Fono-Fax: 326 01 04 • 325 31 48
www.jcsaezeditor.blogspot.com

IMPRESO EN CHILE/ PRINTED IN CHILE

RAFAEL ECHEVERRÍA

ESCRITOS SOBRE APRENDIZAJE: RECOPILACIÓN

J·C·SÁEZ

editor

INDICE

PRESENTACIÓN

En este libro presentamos una recopilación de cinco trabajos que abordan directa o indirectamente el tema del aprendizaje. Todos ellos forman parte de publicaciones anteriores. Los tres primeros, «Los Condicionantes de la Acción Humana: El Modelo OSAR», «El Aprendizaje» y «Sobre la Enseñanza» aparecieron recientemente en la obra en dos volúmenes El Observador y su Mundo (J.C. Sáez Editor, 2008). Los dos últimos, «La Escucha» y «Las Modalidades del Habla y la Senda de la Indagación», fueron parte del libro Actos de Lenguaje, Vol. I: La Escucha (J.C. Sáez Editor, 2007). Esta recopilación se hace para alimentar algunos programas de formación que hoy estamos ofreciendo, dirigidos a profesores, directores de escuela y, en general, gestores educacionales. El principal de ellos es el Diplomado en Competencias Genéricas para la Educación, que ofrecemos junto a la Universidad del Desarrollo (UDD) y el Instituto de Seguridad del Trabajo (IST).

Los tres primeros trabajos abordan el tema del aprendizaje de manera directa y explícita. No así los dos segundos. Algunas palabras son, por lo tanto, necesarias para justificar la inclusión de éstos dos últimos.

Desde nuestra perspectiva, el aprendizaje humano es tributario de nuestra competencia para escuchar. Quién no sabe escuchar, inhibe su capacidad de aprendizaje. Esto último, sin embargo, no es siempre adecuadamente reconocido. De esto se deduce que una de las competencias clave que requiere promover del proceso de enseñanza-aprendizaje consiste en desarrollar la capacidad de escucha de los alumnos. Los buenos maestros son aquellos que lo logran, independientemente de los conocimientos que posean sobre su materia y de su dominio de las técnicas tradicionales de diseño instruccional. Para entender la relación entre el aprendizaje y la escucha es imprescindible poner en cuestión nuestra comprensión tradicional sobre esta última. Esto es lo que busca el texto que aquí incluimos.

Un segundo aspecto a destacar es la necesidad de ir más allá de una práctica educativa que evalúa el aprendizaje según la capacidad de los alumnos de entregar respuestas correctas. Ello restringe seriamente tanto nuestra visión del aprendizaje como de la enseñanza. A este respecto caben al menos dos reflexiones. La primera alude a la relación entre el aprendizaje y la acción. Aprender, desde nuestra perspectiva, consiste en expandir nuestra capacidad de acción, de manera de producir mejores resultados en nuestras vidas. Este es un tema que abordamos en nuestro texto sobre el aprendizaje.

Cabe, sin embargo, una tercera reflexión. Una educación que se mide por la capacidad de entregar respuestas no sólo se distancia de la acción, sino que se aleja también de una concepción de la educación concebida como desarrollo de nuestra capacidad indagativa.

Sostenemos que, tanto o más importante que nuestra capacidad de entregar respuestas es nuestra capacidad de formular preguntas. Esto último, sin embargo, con frecuencia es inhibido por la práctica educacional tradicional. Al privilegiarse las respuestas, la educación deviene más un proceso de disciplinamiento y domesticación, que un incentivo para el desarrollo de una conciencia crítica e innovadora.

La línea que separa las preguntas de las respuestas separa también dos modalidades de vida muy diferentes. Podemos vivir a partir de respuestas ya ofrecidas o podemos optar por una vida guiada por preguntas y la búsqueda de nuevas respuestas. Entre ambas modalidades de vida existe una diferencia fundamental. Sócrates llega a sostener que «una vida no indagada no merece ser vivida». La relación entre la indagación y la educación es abordada en el último texto de este volumen.

Rafael Echeverría, Newfield Consulting, 2009

II

I
LOS CONDICIONANTES DE LA ACCIÓN HUMANA: EL MODELO OSAR

Hemos concluido la Introducción[34] sosteniendo que una nueva filosofía de la vida, como la que nos propone Nietzsche, requiere descansar en la prioridad que es preciso conferirle a la acción humana. La acción es un tema que cruza todo este libro.[35] A estas alturas, sin embargo, nos parece importante desarrollar una primera reflexión sobre los condicionantes de la acción humana o, en otras palabras, sobre los factores que inciden en ella.

1. El Modelo OSAR

A continuación presentamos al lector el gráfico de nuestro Modelo OSAR, siglas que hablan del Observador, el Sistema, la Acción y los Resultados. El nombre del modelo busca algo más. Simultáneamente nos plantea el desafío de atrevernos a ir más lejos, de hacer despertar en nosotros la osadía como una actitud fundamental ante la vida, de manera que ella nos conduzca a estar a la altura de nuestros sueños, ideales y aspiraciones. Su nombre, por lo tanto, no es inocente[36]. Este capítulo

---

[34] Ver Rafael Echeverría, «Ontología del lenguaje: hacia un nuevo discurso sobre el fenómeno humano», 2007.

[35] Sobre el tema de la acción, ver además Rafael Echeverría, *Ontología del Lenguaje*, J.C. Sáez Editor, Santiago, 1994, capítulo VI, «Acción humana y lenguaje».

[36] Este es un modelo que ha estado presente en nuestros programas de formación desde que lo construyéramos en su actual versión a comienzos de 1996. Quienes conocen el trabajo de Newfield Consulting, saben la importancia que el modelo OSAR tiene en nuestro trabajo. Él está inspirado en aquel, diferente y más simple, desarrollado inicialmente por Action Design y con el

busca no sólo presentar, sino también explicar, este modelo
que ha devenido un sello de nuestra propuesta y que ha acompañado desde hace ya largo tiempo todos nuestros programas
de formación.

Modelo OSAR:
El Observador, el Sistema, la Acción y los Resultados

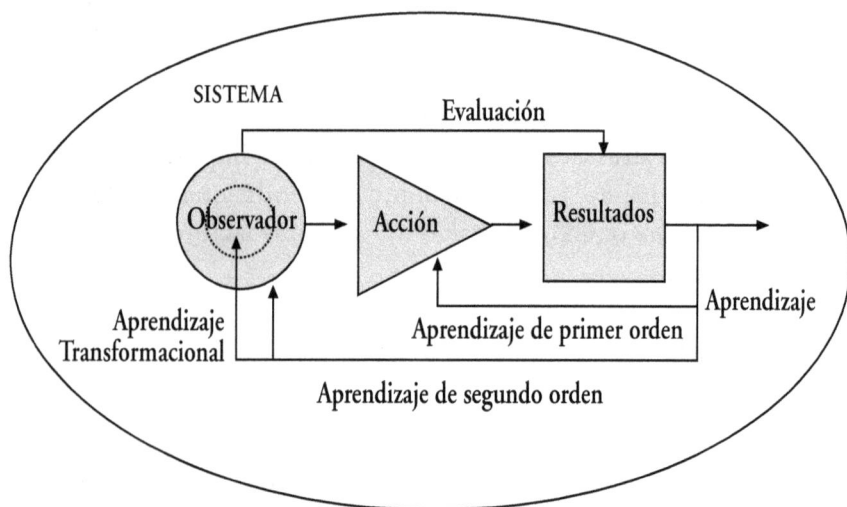

2. Prioridad y privilegio de los resultados

Es preciso leer este modelo de derecha a izquierda, partiendo
por lo que está al final: los resultados. Ello da cuenta de una
importante premisa de la ontología del lenguaje, premisa que
recoge la influencia del pragmatismo filosófico. Sostenemos
que tanto nuestras acciones como nuestras interpretaciones
sobre el acontecer requieren ser evaluadas en función de los
resultados que alcanzamos con ellas. Ello instaura una disposición que nos parece fundamental y que erigimos como pauta

---

que nos familiarizáramos años atrás, cuando colaboráramos con Robert
Putnam, en el contexto de la invitación que nos hiciera el Center for Quality
of Management (CQM).

ética de nuestra existencia. En esta premisa se expresan algunos supuestos que creemos necesario explicitar.

El primer supuesto es la concordancia de este criterio con nuestra postura de afirmación de la vida. Cuando hablamos de resultados estamos hablando de resultados en la vida y, en consecuencia, en las modalidades de existencia que se generan a partir de nuestra manera de actuar. Los resultados en la vida son el criterio fundamental para evaluar nuestro comportamiento. De allí que consideremos que es indispensable preguntarse si, al actuar como lo hacemos, estamos obteniendo lo que deseamos. ¿Estamos obteniendo realmente el tipo de vida al que aspiramos? ¿Estamos construyendo el tipo de relaciones que le confieren el mayor sentido a nuestra vida? Desde nuestra perspectiva, no existe un criterio superior para evaluar lo que hacemos que el tipo de existencia que generamos con nuestro actuar, tanto para nosotros mismos como al interior de la comunidad en que nos desenvolvemos.

Lo dicho podrá parecer obvio a algunos y, sin embargo, no estamos seguros de que siempre lo sea para una gran mayoría. Son tantas las veces que observamos cómo determinadas personas destruyen sus vidas o ponen en riesgo aquellas relaciones que les son más preciadas al no estar dispuestas a modificar la forma como se comportan. Son tantas las veces que vemos a personas defendiendo determinadas posiciones sin reconocer cómo esas posiciones los conducen a deteriorar aquello que simultáneamente conciben como lo más valioso en sus existencias. Personas que no logran establecer el vínculo entre lo que piensan y lo que hacen, por un lado, y, por otro, los resultados que generan para sí en sus vidas.

Para otras personas, el pragmatismo pareciera tener mala reputación, pues lo relacionan con una mirada estrecha, ligada a un sentido restringido de utilidad, haciendo equivalentes pragmatismo con utilitarismo. Tienen la impresión que el pragmatismo propone que sólo hay que hacer lo que es útil y restringen la noción de utilidad a cuestiones pedestres. Esta no es nuestra posición ni es tampoco lo que defiende el pragmatismo filosófico.

La calidad de nuestra vida se mide por el sentido que logramos conferirle y no son pocas las oportunidades en las que la afirmación de nuestro sentido de vida nos conduce incluso a sacrificar la propia vida. Adoptar una actitud pragmática, en consecuencia, no significa sustituir el criterio de utilidad por el papel que les asignamos a los valores. Se trata de lo contrario. Se trata precisamente de subordinar nuestro comportamiento a lo que tiene la capacidad de conferirle valor a nuestra vida. No toda vida vale la pena de ser vivida. No merece ser vivida aquella vida que se vacía de sentido, aquella vida en la que, a partir de lo que hacemos, terminamos en un desprecio y depreciación de nosotros mismos o de la propia vida.

Poner el énfasis en la vida significa destacar la importancia del sentido de vida y, en último término, de la satisfacción, el bienestar y la felicidad. Esto es lo más importante que buscamos en nuestra existencia. Pero basta decir esto para que, de inmediato, salgan detractores que escuchan lo que planteamos como un llamado al bienestar material, por sobre el bienestar espiritual, o bien como un llamado al placer, y muchas veces vinculado al placer carnal.

No es esto lo que estamos planteando. Sin despreciar el bienestar material y el placer carnal, supeditamos lo que hacemos a lo que nos confiere el mayor sentido de vida. Y no somos ingenuos. No desconocemos que el bienestar material y el placer carnal, por sí mismos, son insuficientes para asegurar un sentido de vida de plenitud. Quienes orientan sus vidas colocando en el centro sólo el bienestar material y el goce carnal pronto descubren que, al hacerlo, no han hecho sino comprometer sus propias vidas, y que éstas muy pronto se vacían de sentido.

3. Los tres ejes fundamentales de la trascendencia humana

El sentido de vida requiere de un sentido de trascendencia. Pero se equivocan quienes identifican sentido de trascendencia con la necesidad de un salto metafísico, a través del cual se subordina y luego se le resta valor a esta vida en razón de una vida situada más allá de ésta. La trascendencia a la que nos referimos, remite a nuestra propia vida terrenal. Tal trascendencia reconoce tres ejes, identificados magistralmente por Pablo, cuando nos habla de la importancia de la fe, la esperanza y el amor[37].

La fe apunta a la necesidad reconocerse uno mismo al interior de un movimiento universal que nunca lograremos comprender del todo y que en tal sentido nos subordina y trasciende. Es la capacidad de conferir a nuestras vidas una relación obligada con la afirmación del misterio. La fe nos contacta con el dominio de lo sagrado, con aquello frente a lo cual sometemos nuestra existencia, pues lo reconocemos como algo mayor y más poderoso que nosotros mismos. Nos permite reconocernos parte del desarrollo siempre misterioso de la existencia y de la vida.

La trascendencia por la fe nos conduce a la humildad personal y a evitar el peligro devastador de aquello que los griegos llamaban la *hubris*, aquella soberbia que llevaba a algunos individuos a concebirse todopoderosos, como si fuesen dioses; a colocarse por sobre la dinámica de la existencia de la que somos parte y frente a la cual estamos subordinados. La fe instituye, por lo tanto, las nociones de misterio, de lo sagrado y de divinidad, nociones complementarias, sin las cuales corremos el riesgo de hacer colapsar nuestro sentido de vida.

---

[37] Véase Pablo, Epístolas, 1 Corintios, 13: 13. Es importante advertir que la manera como interpretamos estos tres ejes no es la que Pablo nos ofrece, ni busca dar cuenta de la concepción paulista. Tomamos lo dicho por Pablo libremente, como punto de arranque de nuestro propio análisis.

El segundo eje es el de la esperanza. A diferencia del anterior, éste sitúa la trascendencia en la estructura de la temporalidad. La esperanza implica el reconocimiento de un futuro aceptado como espacio de nuevas posibilidades. Los seres humanos tenemos la posibilidad de trascender lo que hemos llegado a ser en el presente y de crear mundos diferentes a los que hoy encaramos como resultado de una historia, de un pasado. Por cuanto disponemos de un futuro, éste se nos ofrece como horizonte de nuevas posibilidades. Si pensáramos que nada nuevo va a pasar, si creyéramos que ya hemos sido todo lo que podemos ser, que no disponemos de un futuro para diseñar en él formas de ser distintas, comprometemos nuestro sentido de vida[38].

El tercer eje es el del amor. El amor implica una disposición de trascendencia y, quizás, una de las más bellas y conmovedoras, pues se trata de la trascendencia que lleva a cabo un individuo al abrirse y proyectarse en otro o muchas veces en la comunidad. El amor puede, por lo tanto, dirigirse hacia determinadas personas o puede expresarse en aquellas causas a las cuales dedicamos nuestras vidas y que tienen como objetivo servir a la comunidad. En uno u otro caso, los seres humanos requerimos de los demás para conferirnos sentido de vida.

Sin amor nos devaluamos, nuestra vida y nosotros mismos perdemos valor. Nuestro sentido de vida se nutre de los demás, del sabernos en relación con otros, del sabernos queridos y requeridos por otros y del saber que nuestra disposición hacia ellos es o será igualmente valorada. Son muy pocos los que son capaces de conferir sentido a sus vidas una vez que se sienten solos, aislados sin siquiera

---

[38] Uno de los rasgos característico de quienes contemplan la posibilidad de suicidarse, es el hecho de no percibir un futuro como espacio diferente del presente. Correspondientemente, una de las maneras de ayudarlos, consiste en colaborar con ellos en restituir el espacio de futuro que han cancelado de manera de regenerar la esperanza.

la esperanza de reencontrarse con otros seres humanos. En una medida importante, el sentido de nuestras vidas nos está conferido por los demás, por aquellos que convertimos en «otros significativos» en nuestra existencia.

Por lo tanto, no hay satisfacción, bienestar ni felicidad genuinos ni duraderos sin reconocer la importancia de una disposición de trascendencia. Sin embargo, tal como lo hemos advertido, los tres ejes fundamentales de la trascendencia humana que hemos identificado no implican una necesaria justificación del programa metafísico. Es posible concebirlos, desde una postura de radical afirmación de esta vida. Es más, la importancia que cada uno de ellos posee reside precisamente en el hecho de que cada uno, a su manera, nos conduce a afirmar la vida y a desarrollar su sentido. Es en relación con el sentido intrínseco de esta vida que ellos devienen importantes.

4. El criterio del poder

Además de la satisfacción, el bienestar y la felicidad a los que hemos apuntado anteriormente, existe un segundo criterio, más instrumental, para evaluar los resultados. Nos referimos al poder o a la eficacia de nuestras interpretaciones y acciones. Decimos que este segundo criterio es más instrumental, por cuanto el poder y la eficacia requieren ser evaluados en relación con objetivos establecidos o de inquietudes que, quizás algo más ambiguamente, esperan ser satisfechas. Todos aspiramos a alcanzar la satisfacción, el bienestar y la felicidad en nuestra vida y la manera de obtenerlos depende de cada uno. Lo que hace feliz a una persona, no hace necesariamente feliz a otra.

Cuando decimos que una determinada acción fue efectiva o cuando sostenemos que una interpretación es más poderosa que otra, estamos señalando que, a partir de determinados objetivos o de determinadas inquietudes, con tales acciones o interpretaciones nos acercamos más a cumplirlos o satisfacerlas, que con acciones o interpretaciones alternativas. Toda evaluación de efectividad es relativa a lo que nos importa. En el pasado[39] hemos sostenido que desde la perspectiva ontológica no es la verdad sino el poder, el criterio de discernimiento principal para evaluar y comparar el valor relativo de diferentes proposiciones. Sobre ello volveremos a abundar más adelante en este mismo texto. Los criterios de poder y eficacia nos permiten evaluar, en función de los resultados, diferentes acciones o interpretaciones. Es sólo examinando los resultados que nos es posible establecer el grado de eficacia y poder (siempre relativos) que corresponden a nuestras acciones o interpretaciones.

El término inglés *performance*, que traducimos al castellano como «desempeño», tiene el gran mérito de apuntar a la acción, al comportamiento, desde la perspectiva de evaluar los resultados que ellos son capaces de producir. Se trata de un término que conlleva aquella dimensión relativa que reconocíamos anteriormente, ligada a las nociones de eficacia y de poder. No tiene sentido hablar de desempeño si no disponemos de un determinado patrón de comparación. La noción de desempeño involucra la capacidad de establecer diferentes niveles de resultados ordenados en función de objetivos o de inquietudes y situar en ellos las acciones que buscamos evaluar.

Nos es posible ahora reiterar lo que postuláramos al iniciar esta sección: el privilegio de los resultados como criterio de evaluación de lo que hacemos. Por nuestras obras nos conocerán. Nada habla con mayor autoridad sobre nuestro hacer que los resultados que tal hacer genera. Podemos distinguir, por lo tanto, dos formas diferentes de vida: la de aquellos que aceptan someterse a la autoridad de los resultados que generan, y la de

---

[39] Véase Rafael Echeverría, *Ontología del Lenguaje*, J.C. Sáez Editor, Santiago, 1994. Capítulo 11.

aquellos optan vivir y actuar prescindiendo de ellos. No deben caber dudas sobre cual es nuestra opción a este respecto.

5. Todo resultado remite a las acciones que lo producen

Hasta aquí nos hemos concentrado en el casillero de los resultados del Modelo OSAR. Habiendo establecido la importancia de los resultados, podemos ahora desplazarnos hacia la izquierda. Lo hacemos sosteniendo que si deseamos entender o incluso modificar los resultados obtenidos, tenemos que aceptar que ellos remiten a las acciones que tanto nosotros, como otros, hemos realizado. En otras palabras, los resultados «resultan» de la acción. Si ellos nos sorprenden o nos desagradan, como puede suceder muchas veces, la primera clave para descifrarlos y modificarlos nos conduce al casillero de la acción.

La existencia de resultados que no nos satisfacen implica que es necesario cambiar las acciones que los producen, sean éstas nuestras o de otros. Si las acciones no son modificadas no cabe esperar que los resultados cambien. Y, sin embargo, hay personas que hacen precisamente eso: aspiran a que los resultados sean distintos, haciendo lo mismo. En estos casos, la posibilidad de que los resultados se modifiquen recae exclusivamente en cambios en el comportamiento de los demás o en eventuales transformaciones en nuestro entorno. Ello implica abandonar aquello sobre lo que tenemos nuestra mayor capacidad de incidencia: nuestras propias acciones. Se trata de un camino que reduce a un mínimo nuestra responsabilidad sobre lo que acontece y al seguirlo no hacemos sino incrementar nuestra responsabilidad en que ello se siga reproduciendo.

Volvamos al escenario de los resultados insatisfactorios. Todos nos enfrentamos frecuentemente a ellos. Miramos lo que se genera a nuestro alrededor, muchas veces a raíz de nuestros propios comportamientos, y sentimos niveles diferentes de insatisfacción. La gran mayoría de las veces nos reconocemos al menos parcialmente responsables y ello posiblemente nos lleve a buscar modificar esos resultados. Para hacerlo, sabemos, es preciso cambiar la forma como actuamos. De dejar las cosas como están, la más alta probabilidad es que ellas se perpetúen y que prolonguen con ello nuestra insatisfacción.

Cambiar la forma como actuamos implica preguntarse por los condicionantes de nuestras acciones. ¿Qué nos hace actuar como lo hacemos? ¿De dónde proviene nuestra forma de actuar? ¿Qué es aquello que tenemos que llevar a cabo para hacer que las cosas se produzcan de manera diferente y con ello esperar resultados más satisfactorios? Si no nos hacemos estas preguntas nuestros esfuerzos por modificar nuestras acciones serán como palos de ciego. Nos estaremos moviendo en la oscuridad y seremos muy poco eficaces.

6. Los condicionantes visibles de la acción humana

Si nos preguntamos, por lo tanto, sobre los factores que condicionan las acciones que emprendemos y la manera como las ejecutamos, es muy posible que coincidamos en cinco factores que inciden en ellas. No descarto que puedan señalarse otros. Pero cuando mencionamos estos cinco, mi impresión es que muy probablemente todos vamos a coincidir en que ellos efectivamente juegan un papel significativo en especificar la forma como actuamos. Los llamamos los condicionantes visibles de la acción humana por cuanto creemos que son de fácil reconocimiento por todos. Accedemos a ellos de manera relativamente espontánea y una vez que ellos son mencionados no tenemos dificultad para reconocer su incidencia en nuestro actuar. Examinemos cada uno de ellos por separado.

Predisposiciones biológicas

Nuestra capacidad de acción está condicionada por nuestra particular constitución biológica. Nacemos con algunas habilidades para hacer ciertas cosas y con ciertas dificultades para realizar otras. Muy pronto durante nuestro desarrollo descubrimos que tenemos facilidades, por ejemplo, para las matemáticas, o que tenemos aptitudes para la música, o que logramos una rápida maestría para hacer cosas con las manos, como dibujar o construir artefactos. Esas predisposiciones las percibimos como talentos con los que nos descubrimos equipados. Son dones que nos provee nuestra biología. Y nos percatamos de que aquello que nos resulta relativamente fácil a otros puede resultarles más difícil. Inversamente, descubrimos también áreas en las que tenemos dificultades. En las que percibimos que aquello que para nosotros es difícil, a otros se les «da» de manera mucho más fácil, diríamos incluso «natural». En efecto, tales predisposiciones, positivas o negativas, remiten a su naturaleza, a su biología.

Adquisición de competencias

Durante la vida ganamos progresivamente múltiples competencias. En otras palabras, aprendemos. Y ello nos permite hacer cosas que antes no podíamos hacer. Volveremos, más adelante, al tema del aprendizaje. Por ahora, baste decir que éste toma formas muy diversas. La más importante es el aprendizaje por imitación, que acompaña al proceso de socialización que tiene lugar durante nuestro desarrollo. Vemos cómo otros hacen ciertas cosas, constatamos los resultados que ellos obtienen y simplemente comenzamos a hacer las cosas como ellos las hacen. Lo queramos o no, el entorno nos va enseñando determinadas maneras de comportarnos y sanciona positiva o negativamente lo que hacemos en función de los resultados que somos o no capaces de generar.

Pero hay múltiples otras formas de aprendizaje. Una segunda, cada vez más importante en nuestras sociedades, es el aprendizaje por instrucción. Con el desarrollo histórico, los sistemas sociales acuden a instituciones dedicadas primordialmente a las actividades de instrucción de sus miembros. Estas instituciones pueden ser clasificadas de muy distintas formas. No profundizaremos en ello. Lo que nos interesa destacar es el importante papel del aprendizaje como mecanismo de adquisición de competencias y, por consiguiente, como un camino para modificar nuestros comportamientos y generar resultados diferentes.

Cambios en la tecnología: las herramientas

Muchas veces los cambios en los resultados descansan no tanto en las nuevas competencias que adquirimos, como en el hecho que acudimos a tecnologías más poderosas. Ello no descarta que para hacerlo posible sea a veces necesario adquirir ciertas competencias que nos permitan su uso. Sin embargo, el elemento clave en la modificación de los resultados reside de manera principal en el cambio de la tecnología más que en las nuevas competencias adquiridas. A menudo sucede que hacemos cambios en el uso de determinadas tecnologías sin necesidad de nuevos aprendizajes. Simplemente cambiamos de martillo y ahora logramos un resultado que el primer martillo no nos permitía alcanzar.

Los factores emocionales: la motivación

Cada vez que actuamos, lo hacemos acompañados por una determinada emocionalidad. Pues bien, esa emocionalidad afecta nuestro nivel de desempeño. A partir de una cierta emocionalidad obtendremos determinados resultados, mientras que con otra los resultados serán diferentes. Muchos se refieren a estos factores emocionales aludiendo al grado de motivación que acompaña nuestro comportamiento.

La importancia de estos factores nos resulta fácilmente reconocible en los deportes. Un equipo bien motivado suele generar un desempeño muy superior al que logra cuando está desmotivado. Pero se trata de un aspecto que no sólo está presente en los deportes, sino en toda modalidad de comportamiento. A menudo, para obtener un determinado resultado, lo que tenemos que modificar no son ni las competencias, ni las herramientas a nuestra disposición, sino los factores emocionales desde los cuales hacemos lo que hacemos.

Nuestras habitualidades

Toda persona no sólo sabe hacer ciertas cosas y no sabe hacer otras. En su actuar hay determinadas recurrencias y cada vez que se enfrenta a determinadas situaciones acude a ciertos repertorios de acción y no a otros. Nos acostumbramos a actuar de determinada forma, forma que progresivamente configura nuestra modalidad particular de comportarnos. Es lo que llamamos nuestras habitualidades.

Hay, al menos, dos tipos de habitualidades diferentes. La primera guarda relación con las acciones particulares que solemos escoger para encarar situaciones que consideramos equivalentes. En este caso lo que está en juego son los propios repertorios de acción a los que recurrimos. Pero hay un segundo tipo de habitualidad que se relaciona no tanto con las acciones que realizamos, como con la forma en que las ejecutamos. Una misma acción puede hacerse de muy distintas maneras y cada individuo desarrolla formas de ejecutarlas que no son iguales a las que siguen otros.

La manera como hacemos las cosas no es indiferente desde el punto de vista de los resultados que generamos. Haciendo una cosa de una determinada manera se producen ciertos resultados, mientras que haciendo lo mismo de otra manera los resultados son otros. De allí, que sea muy importante preguntarse cuando nos enfrentamos a un resultado insatisfactorio, no sólo si estamos llevando a cabo la acción que haría falta, sino también si la estamos ejecutando de manera que permita alcanzar ese resultado que buscamos.

7. El carácter no lineal del comportamiento humano y del aprendizaje

Todos nos hemos visto enfrentados al hecho que ciertos resultados nos son esquivos, al punto que muchas veces llegan incluso a parecernos inalcanzables. Miramos nuestra vida, examinamos por ejemplo nuestras relaciones, y no podemos dejar de concluir que los resultados que obtenemos en ellas no son aquellos a los que originalmente aspirábamos. Estos resultados son de muy distintos órdenes y revisten niveles de importancia desiguales. No son pocas las veces en las que, sin embargo, estos resultados insatisfactorios se sitúan en áreas que son las que más afectan nuestra vida, aquellas que consideramos más importantes. Por ejemplo, los resultados que obtengo en mi relación de pareja, o bien aquellos que se expresan en la relación que he construido con uno de mis hijos, me son altamente insatisfactorios.

Cuando eso sucede, particularmente cuando se trata de áreas que nos son especialmente sensibles, solemos buscar la manera que nos permitan revertir esos resultados negativos. Habiendo identificado lo que hemos llamado los condicionantes visibles de comportamiento, acudimos a ellos y procuramos hacer algunos cambios en el terreno específico de cada uno, con la expectativa que ello nos conducirá a mejorar lo que no funciona. A veces lo logramos. Sin embargo, en otras oportunidades, cualesquiera sean las modificaciones que realicemos en el ámbito de estos condicionantes, los cambios en los resultados no se producen. Todos hemos enfrentado este tipo de situaciones. Profundicemos un poco más en ellas.

Lo primero que me parece importante destacar, es la vivencia que nos encontramos con una suerte de pared que no nos es posible franquear. Intentamos diversas modificaciones en nuestro comportamiento y una y otra vez nos enfrentamos con los mismos resultados negativos. Pareciera no haber salida. Tenemos la impresión que nuestra capacidad de acción y nuestra capacidad de aprendizaje se han encontrado con un límite insalvable. Hagamos lo que hagamos, simplemente no logramos superarlo.

Lo segundo a destacar consiste en una pregunta que solemos hacernos a partir de la experiencia anterior: ¿será que aquello a lo que aspiramos no es posible? Pero rápidamente nos damos cuenta de que no podemos responder a esa pregunta en afirmativo. Miramos a nuestro alrededor y reconocemos que aquello que en nuestro caso no funciona, funciona perfectamente en el caso de otros. No podemos decir, por lo tanto, que no es posible. Lo que veo alrededor nos demuestra que es perfectamente posible: otros lo logran. Ellos tienen una excelente relación de pareja. Hay quienes han construido una muy buena comunicación con sus hijos.

Algunos dirán que el problema es que no le conferimos a ello la suficiente importancia. Plantearán que si realmente nos importara, mejoraríamos esos resultados. Esos comentarios muchas veces nos ofenden. Quienes los esgrimen no se percatan de que muchos estarían dispuestos a cortarse un brazo si, a cambio de ello, obtuviesen una relación armónica con sus hijos o con su pareja, manteniéndonos en los mismos ejemplos. Y por lo tanto se sienten totalmente dispuestos a modificar sus acciones si con ello obtuviesen el resultado esperado. El problema no consiste en que se resistan a hacer algo; el problema reside en que no saben qué es aquello que podrían hacer para obtener el resultado que desean[40].

Esa experiencia es la que nos lleva a afirmar el carácter discontinuo, no lineal, de nuestra capacidad de acción y de aprendizaje. A la vez que reconocemos que hay cosas que podemos hacer y cosas en que no tenemos dificultades mayores

---

[40] Esta situación es la que suele estar presente en muchas de las peticiones de coaching y constituye un área predilecta de intervención del coach ontológico.

en aprender, son muchas las veces que experimentamos la vivencia que alcanzamos un límite en nuestra capacidad de alterar determinados resultados. Nuestra capacidad de incrementar linealmente nuevos aprendizajes pareciera haberse detenido. La curva de aprendizaje continuo se ha cortado. Los límites que se me presentan a mí, otros no los enfrentan. Ello nos suele conducir a reconocer que no se trata de una imposibilidad genérica. La dificultad pareciera ser mía. Y, en efecto, suele serlo.

8. La respuesta metafísica

Cuando experimentamos la sensación que nos hemos encontrado con un límite en nuestra capacidad de acción y de aprendizaje, que nada que hagamos nos permitirá superar nuestras dificultades, la interpretación que espontáneamente solemos ofrecer proviene directamente de los postulados del programa metafísico. «Soy yo», decimos. O bien, «Es ella» o «Es él». Lo que equivale a señalar: «No hay nada que hacer, pues la dificultad que enfrento reside en mi (o en su) forma de ser, y ello no puede ser cambiado». Si nada podemos hacer para alterar los resultados, será –nos decimos– por cuanto la dificultad pertenece a nuestra forma de ser. Al adoptar esta postura, caemos en una profunda resignación y cancelamos la posibilidad de transformar el estado presente de las cosas.

Nuestro encono contra la metafísica proviene de situaciones como éstas. Proviene de los efectos que ella impone en nuestras vidas. La metafísica nos hace impotentes en momentos cruciales de nuestra existencia, restringiendo las posibilidades que el futuro nos brinda para resolver nuestras dificultades. Nos conduce a capitular ante problemas importantes. Nuestra oposición a la metafísica está por sobre todo dirigida a aquella que llevamos en la sangre, más que a la que se encuentra expuesta en complejos tratados, guardados en oscuras bibliotecas. Esa metafísica puede quedarse allí, en paz, si tan solo pudiéramos sacarnos aquella que corre por nuestras venas.

Sin embargo, si queremos luchar contra la metafísica que llevamos dentro de nosotros mismos, no podemos sino disputar los postulados que están contenidos en esos tratados. De ellos provienen las transfusiones de aquella sangre que portamos. No es posible limpiarnos de la metafísica sin poner en cuestión el pensamiento de quienes la inventaron, sin desmontar sus argumentos. Pero debemos ir más lejos. Si sólo cuestionáramos los argumentos eruditos de algunos libros de filosofía, no seríamos capaces de rescatar a los individuos que se encuentran atrapados en sus garras. Debemos, por lo tanto, luchar en dos frentes diferentes: en el frente de la argumentación académica y en aquel otro frente constituido por el tipo de razones que levantan los hombres y mujeres en la cotidianidad de su existencia.

De este hecho resulta uno de los rasgos más sobresalientes de la ontología del lenguaje: su necesidad hacer converger la reflexión filosófica con las inquietudes de la gran mayoría de las personas, en sus espacios, tanto privados como públicos. En ello reside el estrecho vínculo que el discurso de la ontología del lenguaje establece con la práctica del *coaching* ontológico. Esta última da la batalla en el espacio abierto que ocupan los hombres y mujeres concretos, en el terreno de sus luchas y emprendimientos, de sus satisfacciones y sufrimientos cotidianos[41].

---

[41] En el pasado hemos hablado del coaching ontológico de muy distintas maneras. Hemos acudido a diversas formas para explicar en qué consiste. Pero a partir de lo que acabamos de plantear surge otra manera de referirse al coaching ontológico. De una u otra forma, el coaching ontológico -en lo que tiene propiamente de ontológico y en lo que lo diferencia de manera específica de otras modalidades de coaching- se enfrenta, en último término, con la necesidad de identificar y remover los residuos metafísicos que todavía subsisten en nosotros y que se interponen en la vocación de realizar nuestras aspiraciones y acceder a niveles superiores de satisfacción en nuestra vida. Lo que hace el coach ontológico es buscar destrabarnos de los obstáculos de la metafísica, en nuestros deseos de fluir, de aprender, de transformarnos. De volver a colocarnos en movimiento una vez que las premisas metafísicas nos han detenido.

9. Los condicionantes ocultos del comportamiento

Es indispensable volver a aquel punto muerto en el que parecíamos encontrarnos, punto en el que sentíamos que los caminos se cerraban, y acudíamos a la respuesta metafísica para conferirle sentido a esta experiencia de imposibilidad. ¿Cómo salir de allí? La manera de hacerlo es la de volver a plantear la pregunta por los condicionantes de la acción humana. Si existiera un camino de salida, éste estará muy posiblemente asociado a algunos condicionantes que no estaban incluidos entre los condicionantes visibles que hemos mencionado.

La pregunta clave es entonces: ¿existen otros condicionantes de la acción humana que no hemos identificado? Sostenemos que la respuesta es afirmativa. Además de aquellos condicionantes visibles del comportamiento humano, hay otros dos condicionantes que normalmente no somos capaces de identificar y que cumplen un papel muy importante en definir las acciones que emprendemos y la forma como actuamos. Nos referimos, en primer lugar, al observador que somos y, en segundo lugar, a los sistemas a los que pertenecemos y hemos pertenecido, y a las posiciones que hemos ocupado en ellos. Observador y sistema, sostenemos, son dos condicionantes ocultos del comportamiento humano. Ocultos, por cuanto no solemos reconocerlos espontáneamente y suelen requerir que alguien nos «inicie» en la capacidad de reconocerlos.

De allí que resulte imprescindible que el coach ontológico sepa distinguir con mucha claridad las trampas que la metafísica nos tiende en la experiencia cotidiana de nuestra existencia; que conozca sus artimañas, y muy particularmente los resultados que ella impone en las modalidades de vida de los seres humanos. Sin este conocimiento el coach ontológico compromete su propia eficacia. Por desgracia esto no es siempre adecuadamente comprendido por muchos coaches que se autodefinen como «ontológicos» y ello genera limitaciones en una profesión que está dando sus primeros pasos.

10. El observador

Las acciones que realizamos no provienen de la nada. Ellas remiten al tipo de observador que somos. ¿Qué es el observador? Más adelante profundizaremos en esta noción que es uno de los pilares básicos de la ontología del lenguaje. Por ahora diremos simplemente que la distinción del observador apunta al sentido que le conferimos al acontecer. Se trata de la manera como interpretamos la situación que enfrentamos. Las acciones que emprendemos dependen de las interpretaciones que realizamos sobre lo que está sucediendo. A partir de una determinada interpretación, emerge un conjunto de acciones posibles, pero simultáneamente se excluyen otras.

Cada vez que enfrentamos un problema, la manera como lo formulamos nos llevará a ejecutar determinadas acciones y otras quedarán excluidas. Si una de las acciones que visualizamos no resulta efectiva, buscaremos otras opciones, pero ellas estarán siempre acotadas por el tipo de formulación que hayamos hecho. Sin embargo, si modificamos la forma como formulamos el problema, ello producirá un reajuste en las soluciones posibles a partir de lo cual se excluirán algunas de las que previamente considerábamos y aparecerán otras que originalmente no contemplábamos.

Cada uno de nosotros es un tipo de observador particular que hace sentido, de una u otra manera, de lo que está pasando. Tal sentido es un condicionante decisivo de las acciones que visualizamos a nuestro alcance. No tenemos mayor dificultad en reconocernos como un observador. Todos estamos conscientes de que observamos el mundo en nuestro alrededor, y que también nos observamos a nosotros mismos. Sin embargo, tenemos un punto ciego en nuestra capacidad de observación. Hay un lugar que no nos es fácil observar. Este punto ciego es el lugar en el que nos posicionamos para observar lo que observamos. El lugar donde nos paramos.

No solemos verlo, porque ese lugar está precisamente ocupado por el observador que somos. Está tapado por él. El observador tiene dificultades para observar el lugar donde se para a observar, precisamente por pararse en él.

Al no observar dicho lugar, el observador no logra percibir que todas sus observaciones están dirigidas desde ese lugar. De cambiar de lugar de observación lo que observe ahora resultará diferente. Nuestra incapacidad para reconocer lo anterior, genera en nosotros una mirada no sólo inocente, sino distorsionada. Una mirada incapaz de reconocer que lo que observamos está afectado por nuestra propia mirada. Las cosas no tienen sólo una manera de ser vistas, tienen infinitas maneras de ser observadas, y cada mirada se dirige hacia ellas desde una perspectiva a exclusión de otras. La mirada no es sólo aquello que nos permite ver, ella hace que veamos lo que vemos de una determinada manera. Todo es visto de acuerdo al sello de la mirada que lo ve.

Nuestra capacidad de acción, por lo tanto, depende del tipo de observador que somos, de la mirada que desplegamos sobre las cosas. Si el resultado que observamos se nos presenta como problemático e insatisfactorio, y nos enfrentamos a una dificultad para alterarlo, ello puede eventualmente resolverse si desplazamos, si modificamos nuestra mirada. Al cambiar el tipo de observador que somos, puede suceder que discurramos alternativas de acción que antes no veíamos y podamos ahora resolver lo que previamente no podíamos. Puede suceder también que aquello que se nos presentaba como problemático deje de ser visto así, y logremos esta vez disolver (en oposición a resolver) el problema antes encarado.

11. El sistema

Los seres humanos somos seres sociales. Vivimos no sólo en la historia, sino también en convivencia con otros. No somos seres previamente constituidos y luego insertados en la historia y en sociedad con otros. El propio ser que somos, en cualquier momento de nuestro devenir, se constituye a partir de la particular inserción en su entorno social. No es posible separar nuestro carácter individual de nuestro carácter social. La individualidad que cada uno desarrolla y que lo hace ser el tipo de persona que es, recoge y está marcado por las condiciones históricas y sociales que a cada uno le corresponde vivir.

El eje horizontal que aparece en el gráfico de nuestro Modelo OSAR, integrado por los casilleros del Observador, la Acción y los Resultados, representa una determinada manera de concebir el ser particular que en todo momento somos. Cada uno posee una determinada manera de hacer sentido, una determinada manera de actuar y genera resultados que son diferentes de los que produce otro individuo. Pues bien, cada uno de esos mismos casilleros está condicionado por el o los sistemas a los que pertenecemos y a los que hemos pertenecido en el pasado. La manera como observamos, la forma como actuamos y, consecuentemente, los resultados que obtenemos en la vida, remiten tanto a los sistemas en los que hemos participado, como a las posiciones que hemos ocupado en sus respectivas estructuras.

¿De qué estamos hablando? De la comunidad a la que pertenecemos, de la familia en la que nacimos, del barrio donde crecimos y donde hicimos de ciertas amistades, de la escuela en la que nos formamos, de los amores que desarrollamos, de las organizaciones en las que trabajamos. En cada uno de estos sistemas ocupamos determinadas posiciones y ellas también afectaron nuestra manera de observar y de actuar y, consiguientemente, los resultados que entonces obtuvimos y que todavía obtenemos. Si esos sistemas hubiesen sido otros, o bien, si hubiésemos ocupado posiciones diferentes en ellos, seríamos otro tipo de persona y muy probablemente observaríamos y actuaríamos de diferente manera, generando resultados distintos.

Todo esto implica que si deseamos producir cambios profundos y estables en nuestra forma de comportarnos, muchas veces no es suficiente incorporar nuevos repertorios de acción, o incluso producir cambios en el observador que somos, sino que a menudo es preciso modificar el o los sistemas a los que pertenecemos. De no hacerlo, dichos sistemas seguirán ejerciendo su efecto condicionante previo, pudiendo incluso revertir aquellos cambios que momentáneamente alcancemos en nuestros comportamientos.

Esto sucede a menudo, por ejemplo, como resultado de algunos programas de capacitación que se desarrollan en organizaciones. A pesar de que en un comienzo tenemos la impresión que ellos podrían desarrollar transformaciones profundas, esto, en los hechos, no se produce. Los cambios inmediatos que esos programas generan no logran estabilizarse en el tiempo y quienes participan en ellos muy pronto vuelven a sus antiguas prácticas. El aprendizaje inicial no logra conservarse. ¿Cabe concluir entonces que dichos programas de capacitación fueron ineficaces? Sin duda. Pero es importante calificar la raíz de la ineficacia. El problema no siempre está en aquello que el programa acometió, sino en lo que le faltó acometer. El problema suele residir en el hecho que no se modificó el sistema de la organización y éste siguió presionando por desarrollar los comportamientos iniciales que la capacitación buscaba sustituir. Para que se conservaran los nuevos aprendizajes, muchas veces era necesario transformar el sistema que inducía los comportamientos anteriores. Al no hacerse esto, quedamos con la impresión equivocada que todo el proceso fue ineficaz.

Por lo tanto, el cambio del observador resulta, muchas veces, insuficiente. Cuando es el sistema el que induce determinados comportamientos, es necesario no sólo modificar el tipo de observador que tal sistema instituye, sino el propio sistema. En otras palabras, es preciso convertir a los nuevos observadores en líderes capaces de modificar los sistemas de los que forman parte.

Llamamos líderes precisamente a quienes asumen el desafío de modificar los sistemas sociales a los que pertenecen.

Para cambiar el sistema social al que pertenecemos suele ser importante ser capaces de observarlo. Muchas veces las propias condiciones críticas que acompañan el desarrollo de los sistemas sociales, restringiendo la capacidad de desempeño de sus miembros, ayuda a que ellos comiencen a visualizar el sistema que los mantiene atrapados. Con grados muy diversos de conciencia, hay miembros que logran reconocer que las restricciones que ellos encaran residen en los sistemas sociales en los que se desenvuelven.

No obstante nuestra capacidad para reconocer el efecto condicionante de los sistemas a los que pertenecemos sobre nuestro comportamiento es restringida. De manera espontánea, no siempre observamos tales sistemas como sistemas. O bien, no percibimos con claridad las muy diversas relaciones que establecen entre sí los diferentes componentes que conforman su estructura. Dicho en otras palabras, los seres humanos no solemos desarrollar una mirada sistémica de manera espontánea.

Cuando miramos a nuestro alrededor, distinguimos eventos, secuencias de eventos, pudiendo, incluso, establecer algunas relaciones entre dos o más eventos. Sin embargo, tenemos dificultades para reconocer la amplia red de interrelaciones que mantienen entre sí los diversos elementos que nos rodean e incluso las muy diversas relaciones que nosotros mismos mantenemos con ellos y el efecto que ellos ejercen sobre nosotros. En otras palabras, solemos tener dificultades para observar sistemas y observarnos a nosotros mismos siendo parte de ellos. Ello hace que el sistema, tal como sucedía con el observador, se mantenga oculto como condicionante del comportamiento humano. Por lo general, es necesario que alguien nos introduzca, decimos incluso que nos «inicie», en el desarrollo de una mirada sistémica.

12. Evaluación: cuando el observador observa los resultados

Ya hemos introducido los actores principales del Modelo OSAR: los Resultados, la Acción, el Observador y el Sistema. Es necesario ahora, describir algunas de las relaciones más importantes que se establecen entre ellos.

Una vez que un individuo, dado el observador que es (y condicionado por el sistema al que pertenece), actúa como actúa y, al hacerlo, genera los resultados que genera, tal individuo, como buen observador que es, no puede menos que observar esos resultados y evaluarlos. Muy posiblemente se preguntará: «¿Me satisfacen o no me satisfacen?». No olvidemos que la satisfacción representa un criterio básico de evaluación de los resultados que obtenemos en la vida. Si su respuesta es que esos resultados lo satisfacen, tal individuo muy probablemente seguirá adelante con su vida y no pondrá en cuestión tales resultados. Ello nos parece sensato.

El problema surge si, como producto de esa observación evaluativa, su respuesta es: «No, ese resultado no me satisface». Éste es el caso que nos interesa. A partir de esa insatisfacción, lo importante es precisar cuáles son los distintos caminos que se le abren. No todos reaccionamos de la misma manera, ni lo hacemos en forma similar en toda circunstancia. Pero examinemos cuales son los principales caminos que esta coyuntura nos abre.

Resignación metafísica

Un primer camino consiste en observar ese resultado insatisfactorio, alzar los hombros y posiblemente decir, «¡Y qué voy a hacer! ¡Eso fue lo que pude hacer!». A veces diremos: «¡Eso es lo que puedo!». Y a partir de ese momento recurriremos, quizás, a las variadas respuestas que provienen del cajón de nuestra metafísica. «¡Dado como soy, no puedo pretender un resultado diferente!». O bien: «Dado como él/ella es, ¿qué otra cosa puedo esperar?». En otras palabras, recurrimos a la categoría del «ser» para conferirle sentido a ese resultado insatisfactorio y con ello congelamos la posibilidad de intervenir en él.

Ese es el tipo de respuesta que, por regla general, buscamos combatir[42]. La llamamos la respuesta de la resignación metafísica. Y ese es el principal problema con la metafísica: nos induce a la resignación y cancela, muchas veces en forma prematura, el camino de la transformación. El problema central de la metafísica no es que niegue la transformación, desde un punto de vista filosófico, sino que induce a la resignación, y cancela posibilidades reales de cambio. Su problema principal no es, por lo tanto, sólo filosófico, terreno en el que sin duda también hay que enfrentarlo, sino en la práctica de la vida. Dicho en otras palabras, la metafísica restringe nuestras posibilidades de plenitud en la vida.

Lo dicho no implica desconocer que no todo nos es posible. Somos seres limitados y el principal dominio de tales limitaciones es nuestra biología. Como nos suele reiterar Humberto Maturana, sólo podemos hacer lo que nuestra biología nos permite. Nuestra biología no nos permite hacer cualquier cosa y, por lo tanto, tendremos que aceptar que no podemos alcanzar ciertos resultados. Yo ya no puedo ser el futbolista destacado con el que, quizás, soñé cuando era joven. Hoy la biología no me permite ese resultado. Es posible incluso que, quizás, no me lo permitiera cuando era adolescente, aunque de ello no pueda estar seguro. En ingles, suele decirse, «The sky is the limit». En rigor, nuestro principal límite es la biología.

Pero la biología no es el único límite. Los seres humanos somos seres éticos y también nos auto-imponemos determinados límites frente a acciones que desde un punto de vista biológico

---

[42] Éste es uno de los enemigos predilectos del coaching que se define como ontológico.

eventualmente podríamos hacer. Sabemos que las acciones que realizamos determinan el ser en el que nos constituimos. Como solemos reiterarlo múltiples veces, nuestro actuar no sólo revela el ser que somos, premisa que aceptamos. El principal problema reside en el hecho de que nuestro actuar genera, entre sus múltiples resultados, el ser en el que devenimos.

El ser no nos está dado, como nos insinúa la metafísica. Del ser que devenimos somos irremediablemente responsables. El sentido fundamental de la vida se conjuga en las opciones de ser que se determinan con nuestras acciones. Cada uno, con sus acciones, participa en el ser que deviene. El ser es el resultado más importante que genera nuestro actuar. Al actuar de una o de otra manera, es nuestro propio ser lo que estamos comprometiendo. En ello reside la dimensión profundamente ética del comportamiento humano. El eje fundamental de nuestra existencia, en consecuencia, está determinado en uno de sus extremos por la biología y, en el extremo opuesto, por la ética. Y aunque nuestro espacio de posibilidades está acotado, ello no impide reconocer que dentro de él, nuestras posibilidades siguen siendo infinitas[43], tal como suponemos que es el cielo.

Explicación justificante

Existe un segundo tipo de respuesta frente a un resultado insatisfactorio. Ésta no se compromete tan rápidamente como la anterior con la resignación, aunque muchas puedan terminar también en ella. Este camino se caracteriza por un observador

---

[43] Ello está asociado a los dos conceptos geométricos de lo infinito. Uno de ellos apunta a la capacidad de una línea de proyectarse infinitamente más allá de sus extremos. El segundo concepto reconoce que al interior de una línea acotada por sus extremos y, por lo tanto, impedida de proyectarse más allá de ellos, hay infinitos puntos. En el primer caso, nos acercamos a la noción de una infinitud macroscópica, a lo infinitamente grande; en el segundo, de una infinitud microscópica, a lo infinitamente pequeño.

que al evaluar un determinado resultado como insatisfactorio, se pregunta: «¿Por qué?». «¿Qué fue lo que produjo este resultado que no me agrada?». Cada vez que preguntamos «por qué», lo que suele venir a continuación es una explicación. En otras palabras, toda explicación presupone la pregunta del por qué, incluso cuando no se haya hecho de manera explícita[44].

Este camino abre posibilidades que no abría el primero. La pregunta por el por qué puede llevarnos a identificar factores en nuestro comportamiento (o en el comportamiento de los demás) que, de modificarse, podrían mejorar el resultado de manera de hacerlo satisfactorio. Este camino, por lo tanto, encierra un potencial que el anterior no poseía, dependiendo del tipo de respuesta que se ofrezca a esas preguntas. En la medida en que toda respuesta a una pregunta sobre el por qué, genera una explicación, dependiendo del tipo de explicación que entreguemos, podremos ir más lejos o más cerca en la posibilidad de obtener un resultado que nos sea satisfactorio.

Sin embargo, existe una modalidad de explicación que hace que esa posibilidad aborte. Se trata aquella explicación que hace de justificación. Pareciera ser una explicación como cualquier otra, pero sus efectos son completamente diferentes pues, en vez de identificar los factores que determinan el resultado insatisfactorio de manera de habilitar su transformación, lo que hace en rigor es conferirle a dicho resultado un manto legitimador. Es importante saber distinguir, por lo tanto, las explicaciones genuinas de las justificaciones. Una vez que generamos una justificación quedamos con la sensación de haber explicado un resultado que no nos gusta, pero hemos simultáneamente

---

[44] Esto es interesante. En la vida muchas veces operamos a partir de explicaciones que aparecen desconectadas de las preguntas por el por qué que originalmente les dio lugar. Un ejercicio poderoso es aquel que toma esas explicaciones y, en vez de darlas por sentadas, acríticamente, rehace la pregunta original del por qué y le busca respuestas alternativas.

clausurado la posibilidad de modificarlo. Resulta interesante reconocer cómo las justificaciones suelen, muchas veces, inclinarse hacia la metafísica. «¿Que por qué pasa eso?», «Porque ella es como tú bien sabes», «Porque me tocaron los padres que tu conoces», «Porque yo soy así».

Un problema adicional con las justificaciones, más allá de comprometer la posibilidad de modificar el resultado, es que muchas veces tendemos a creer que ellas son intercambiables con los resultados y, en tal sentido, sustituyen nuestro compromiso de generar determinados resultados. Pareciera que dijéramos: «No hice aquello a lo que me había comprometido, pero permíteme que te cuente por qué». Lo que muchas veces viene a continuación no es una explicación genuina, que identifica factores imprevisibles que impidieron la consecución de lo prometido, sino un conjunto de justificaciones espurias que no logran justificar nuestros incumplimientos. Lo reiteramos frecuentemente: ni una explicación, ni menos una justificación, son capaces de sustituir un resultado. Éste es un lema que no siempre es adecuadamente reconocido en nuestras culturas organizacionales.

La justificación es un primer problema que enfrentamos cuando entramos en el terreno de las explicaciones. No es el único. Un segundo problema guarda relación con lo que llamamos *externalización*. Cuando esto sucede, en vez de recurrir a las categorías metafísicas que legitiman el resultado y bloquean la posibilidad de transformarlo, esta vez se vincula ese resultado a las acciones que lo generaron. Esto suele ser poderoso. Sin embargo, se puede caer en la tentación de sólo considerar las acciones de los demás, sin involucrar también en las explicaciones, las acciones de la persona que provee la explicación.

Con la *externalización*, tal persona se blinda a sí misma de toda responsabilidad en el resultado considerado insatisfactorio. Se dice, por ejemplo: «Ello sucedió porque tal persona hizo tal o cual cosa». Sus propias acciones no son parte de la ecuación que generó el resultado insatisfactorio. El recurso de la *externalización* se caracteriza por apuntar con el dedo acusador hacia fuera y por la dificultad de dirigirlo hacia uno mismo. Ello no hace sino debilitar nuestras explicaciones. En primer lugar, por incompletas. Pero, en segundo lugar, y tal como ya lo expresamos, por cuanto desvía la atención del terreno en el que tenemos nuestra mayor capacidad de intervención: nosotros mismos.

Pero existe un tercer camino frente a un resultado insatisfactorio. Es aquel que surge de la declaración: «¡Lo voy a cambiar! ¡Esto tiene que mejorar!». Cuando tomamos este camino, se abre de inmediato un territorio que no estaba presente antes. Entramos en el dominio del aprendizaje. Ello implica que debemos ahora buscar la manera de modificar la forma como actuamos.

13. El aprendizaje

El aprendizaje es aquella acción que nos conduce a un cambio de la acción. Ese es su propósito: llegar a hacer lo que antes no hacíamos y, muchas veces, lo que antes no podíamos hacer. Un resultado insatisfactorio es por definición el producto de una acción inefectiva. Al comportarnos de la manera que lo hicimos no logramos incrementar nuestro nivel de satisfacción. Toda acción busca hacerse cargo de una situación que no nos complacía, y resolverla. Si la acción no produce la satisfacción deseada, es indispensable modificar la forma como actuamos. Para ello recurrimos al aprendizaje. Tenemos, sin embargo, distintos tipos de aprendizaje, y el gráfico del Modelo OSAR nos permite identificarlos.

Aprendizaje de primer orden

Un primer tipo de aprendizaje –que suele presentársenos como primera opción– es aquel que llamamos aprendizaje de primer orden[45] . Se trata de un tipo de aprendizaje en el que, estando conscientes de que es necesario modificar las acciones para obtener diferentes resultados, nos dirigimos, al interior del modelo, directamente a producir cambios en el casillero de la Acción. Las preguntas que entonces nos hacemos son las siguientes:

- ¿Qué debo hacer que no hice?
- ¿Qué debo dejar de hacer?
- ¿Qué nuevos repertorios de acción debo incorporar?
- ¿O acaso debo hacer lo mismo de manera diferente?
- ¿Qué faltó en mi actuar previo?
- ¿Estoy en condiciones de hacer aquello que previamente faltó?
- De no ser así, ¿cómo puedo adquirir las competencias que me hacen falta?, etc.

Podríamos añadir muchas preguntas más de este mismo tipo. Todas ellas, sin embargo, tienen un rasgo distintivo: buscan hacer alteraciones en el casillero de la Acción. Esto es lo propio del aprendizaje de primer orden.

Aprendizaje de segundo orden

No obstante, hay ciertas acciones que no podremos hacer y, consecuentemente, ciertos resultados que no podremos alcanzar, de considerar tan sólo opciones de aprendizajes de primer orden. Como lo hemos dicho antes, el aprendizaje de primer orden tiene límites; sus posibilidades de transformación están acotadas. Y para superar tales límites, en la medida en que no nos hallemos restringidos por nuestra biología o por nuestra ética, disponemos de un segundo tipo de aprendizaje. Lo llamamos el aprendizaje de segundo orden[46].

---

[45] Éste se corresponde con lo que Chris Argyris llama «single loop learning».

[46] Éste, en cambio, se corresponde con lo que Argyris llama «double loop learning».

En este segundo tipo de aprendizaje, se sabe que el cambio del resultado que se desea va a requerir de un cambio de la acción. Pero se reconoce que las acciones remiten al observador que somos y que mientras tal observador se mantenga, los cambios de acciones que son requeridos no se obtendrán. Se sabe que para cambiar determinadas acciones se requiere modificar previamente el tipo de observador que somos. Lo propio del aprendizaje de segundo orden, por lo tanto, es que conlleva un cambio del observador. Ello implica que se trata de una intervención dirigida al casillero del Observador. La expectativa implícita es que, al modificarse el observador, se disolverán aquellos límites que previamente afectaban al casillero de la Acción.

La relación del eje horizontal del Modelo OSAR, en el que están situados el Observador, la Acción y los Resultados, es una constante de toda modalidad de desempeño. Los resultados son producidos por acciones y estas acciones suelen verse condicionadas por el tipo de observador que somos. Sin embargo, tal como lo planteáramos previamente, cada uno de los tres elementos que conforman este eje horizontal (observador, acción y resultado) suele estar afectado por el sistema al que los individuos pertenecen. De ser éste el caso, el aprendizaje individual puede ser insuficiente para disolver los límites que la acción encara. Para que tales límites sean superados, se requiere de algo más que de estrategias de aprendizaje individual, sean éstas de primer o de segundo orden. Es necesario introducir cambios en el sistema que opera sobre los individuos, restringiendo su campo de comportamiento. Ello implica un tipo de intervención diferente.

Aprendizaje transformacional

Existe una opción de aprendizaje que todavía no hemos explorado. Cuando entramos en una modalidad de aprendizaje de segundo orden, dirigida a modificar las acciones a través de cambios en el observador, es preciso reconocer que dichos cambios pueden ser de órdenes muy diferentes. Las intervenciones en el observador pueden tener niveles distintos de profundidad. Algunas de ellas, por ejemplo, pueden consistir en introducir determinadas distinciones que el individuo en cuestión previamente desconocía. Ello logra un determinado cambio del observador. Sin embargo, se trata de cambios relativamente superficiales[47].

Pero hay otras intervenciones que tocan lo que podríamos llamar el núcleo básico o el corazón del observador. Nos referimos a aspectos de un determinado observador que han devenido recurrentes en él y que se manifiestan independientemente del cambio de circunstancias. Estos factores conforman, más bien, una modalidad particular de observar, modalidad que pareciera caracterizar a un individuo. Dado su carácter recurrente, e independiente de circunstancias específicas, tal modalidad de observación se nos presenta como propia de la manera de ser de esa persona, como un rasgo, diríamos, de su alma[48].

---

[47] Muchos aprendizajes de primer orden, dirigidos centralmente al casillero de la Acción, suelen requerir algún tipo de cambio del observador y, por lo tanto, involucran simultáneamente un determinado aprendizaje de segundo orden. Veamos algunos ejemplos. Deseamos aprender un nuevo programa de computación. Para hacerlo será necesario aprender algunas distinciones que previamente no teníamos. Por ejemplo, la tecla F4 en este programa tiene un uso que no corresponde al que tenía en el programa que anteriormente utilizábamos. Cuando vamos a la escuela y tomamos una determinada asignatura, aprendemos distinciones que modifican el observador que éramos hasta entonces. Se trata por lo tanto de experiencias de aprendizaje de segundo orden.

Muchas personas suelen definir el coaching ontológico como un tipo de intervención que se caracteriza por cambiar el observador que somos. Ello es un error. El coaching ontológico se caracteriza por su capacidad de transformar el tipo de ser que somos y no sólo el observador. Lo que es propio del coaching ontológico no es el aprendizaje de segundo orden, sino el aprendizaje transformacional.

[48] Entendemos por alma la forma particular de ser de una persona.

Es muy posible que esa misma persona considere que en la medida que tal rasgo define su forma de ser, sólo le cabe aprender a vivir con él. Es también posible que aunque considere que existe la posibilidad de cambiarlo, no esté dispuesta a ello. Pero no estar dispuesto a modificarlo no implica necesariamente que no sea modificable. A veces nos sucede que la vida nos impone el dilema de tener que optar por conservar o por transformar este tipo de rasgos, rasgos que muchas veces parecieran asociarse con nuestro sentido de vida. Se trata, sin duda, de experiencias difíciles. Soltar una forma habitual de ser, que nos ha acompañado por mucho tiempo, no es fácil. Es más, por lo general solemos tener razones muy elaboradas para justificarlas[49].

---

[49] A veces estos rasgos están asociados a lo que consideramos nuestras más profundas convicciones. Sin embargo, hay momentos en los que los seres humanos nos encontramos en una especial encrucijada: nuestra vida enfrenta una pérdida de sentido y, sin embargo, nos es muy difícil poner en cuestión aquellas convicciones que han precitado esa crisis. Estamos en lo que podríamos llamar una crisis del paradigma de sentido que hasta entonces nos ha acompañado. Enfrentamos una tensión entre la búsqueda de soluciones que procuran salvar las convicciones que forman parte del núcleo básico del observador y la posibilidad de cuestionarlas.

No es fácil cuestionar aquello que hemos elevado al rango de convicciones. El problema es: ¿qué es prioritario? ¿Aquello que llamamos «nuestras convicciones», o la crisis de «sentido de vida» a la que muchas veces ellas nos han conducido? Enfrentados en esta encrucijada, ello nos plantea un dilema ético. Y no son pocas las veces en la que el dilema asume la forma de una oposición entre un determinado «principio» ético y los resultados de vida que ese mismo principio nos impone.

De ninguna manera estamos sugiriendo un trato liviano o frívolo frente a «nuestras convicciones». Particularmente cuando ellas representan el elemento que sustenta nuestro sentido de vida. El problema se plantea cuando precisamente se produce una brecha entre convicciones y sentido de vida. Cuando por aferrarme a estas convicciones, lo que sacrifico es precisamente el sentido de mi vida. Esta es la disyuntiva que nos interesa y frente a la cual, pensamos, no siempre respondemos favoreciendo la pauta ética de orden superior. A este respecto sostenemos que no hay nada superior a la preservación del sentido de la vida. Si el aprendizaje nos abre la posibilidad de resolver una crisis de sentido de vida, quizás -y cada uno debe hacer sus propias opciones-, lo más ético sea permitirnos cuestionar esas convicciones que han terminado por destruir el sentido de nuestra vida.

Lo que nos interesa es reconocer que, al interior del aprendizaje de segundo orden, que busca el cambio del observador, podemos distinguir un tipo de aprendizaje que por su profundidad modifica aspectos que aparecen asociados a nuestra particular forma de ser. Nos interesa, reconocer que esta posibilidad de aprendizaje existe, que ella es una opción de aprendizaje. A esta modalidad la llamamos aprendizaje transformacional[50].

Es importante hacer un alcance sobre el aprendizaje transformacional, dado que en torno al él, suelen producirse algunos malentendidos. Algunos entienden que el aprendizaje transformacional implica un cambio radical en la forma de ser de un individuo. Ello no está mal, pero queda sujeto a lo que entendamos por radical. Si por radical entendemos total, en el sentido de que el ser del individuo que se constituye a partir de esta modalidad de aprendizaje es completa y totalmente diferente al ser que estaba constituido antes de la experiencia de aprendizaje, será evidentemente muy difícil detectar experiencias de aprendizaje de este tipo.

En toda experiencia de aprendizaje, lo que se conserva suele ser mayor que lo que se transforma. Ninguna modalidad de aprendizaje se traduce en una transformación completa del individuo. Siempre podremos reconocer en él o en ella, rasgos del ser que conocíamos en el pasado. Por lo tanto, quienes esperen del aprendizaje transformacional una transformación total, difícilmente van a aceptar que este tipo de aprendizaje puede realizarse.

Sin embargo, si por aprendizaje transformacional concebimos un tipo de transformación de una profundidad tal que

---

[50] Esta modalidad profunda de aprendizaje ha sido una de nuestras áreas predilectas de investigación. No haremos una exploración detallada de ella en esta oportunidad. Sin embargo, cabe señalar que ella está fuertemente asociada a la práctica del coaching ontológico que ha sido un campo importante de desarrollo vinculado a la ontología del lenguaje.

nos conduce a reconocer una ruptura con «ciertos» patrones de observación o de comportamiento que habían sido característicos de la forma anterior de ser de la persona, no tendremos dificultades para reconocer la posibilidad de este tipo de aprendizaje. Reconoceremos que, en determinados dominios, se ha producido una ruptura en la forma habitual de ser de ese individuo, un punto de inflexión en un aprendizaje lineal y acumulativo, un determinado salto cualitativo. Una de las características sobresalientes de este tipo de aprendizaje es precisamente la alteración o ruptura de la linealidad.

¿Dónde cabe distinguir esta ruptura de la linealidad? En su manera de interpretar los hechos de la vida, en las nuevas modalidades de acción que ahora emergen, pero, por sobre todo, en el tipo de resultados que ese individuo puede alcanzar. El aprendizaje transformacional disuelve el muro de imposibilidad con el que el individuo antes chocaba. Lo que previamente le hacía sospechar que, quizás se había encontrado con una barrera asociada a su particular forma de ser, ahora pareciera haberse esfumado. La imposibilidad metafísica con la que creía haberse encontrado, se ha desvanecido. Ello suscita no sólo su sorpresa, sino también la de aquellos que lo rodean.

El argumento anterior se dirige contra algunas reacciones de escepticismo con las que algunos miran la posibilidad de un aprendizaje transformacional. Pero también nos encontramos —y no sin buenas razones— con la reacción opuesta. La de quienes no tienen problemas en reconocer aprendizajes de este tipo y que nos argumentan que todo aprendizaje, por definición, es siempre transformacional. En efecto, éste es un muy buen punto. La transformación es el rasgo inherente de todo aprendizaje, tanto que aprendizaje y transformación muchas veces pueden ser usados como sinónimos.

Sin embargo, ello no impide reconocer que muchas de las transformaciones que genera el aprendizaje se realizan, siguiendo el modelo de cambio en los paradigmas, preservando en el tiempo aquellas recurrencias a partir de las cuales podemos tipificar una determinada forma de ser del individuo. Todo paradigma, como lo hemos argumentado previamente, posee un centro, que se suele conservar a pesar de que el paradigma esté cambiando. El aprendizaje transformacional implica, en consecuencia, una modificación de un nivel de profundidad que no siempre está presente en otras experiencias de aprendizaje.

Lo característico del aprendizaje transformacional es, en definitiva, su impacto en las condiciones existenciales del individuo, en el carácter de las relaciones que éste comienza a establecer con los demás, en su capacidad de conferirle a su vida un sentido diferente. Se trata de un aprendizaje que no sólo altera la relación instrumental (técnica) que el individuo mantiene con el mundo, sino que modifica el dominio de la ética[51]. Con el aprendizaje transformacional podemos hablar de una mutación o de una metamorfosis del alma, de esa forma particular de ser de cada individuo.

---

[51] A partir de comienzos de la década de los sesenta se inicia en los Estados Unidos una línea de desarrollo teórico que adopta el nombre de «aprendizaje transformacional». Muy pronto se convertirá en un amplio «research program» que dará cabida a diferentes orientaciones y tendencias. Algunas de ellas siguen en pleno desarrollo. Hay otras, sin embargo, que culminan en un fuerte escepticismo frente a sus propios objetivos iniciales.

Nos interesa darle seguimiento a una de estas últimas líneas, aquella desarrollada por Edgar Schein, quien es, además, un importante portavoz a nivel internacional en el campo de la «cultura organizacional» y el liderazgo. Edgar Schein ha sido un destacado profesor de la Sloan School of Management del MIT y fue uno de los pioneros al interior de la corriente de pensamiento del aprendizaje transformacional.

Examinemos los antecedentes de esta corriente. Algunas experiencias surgidas de la Guerra de Corea en la década de los cincuenta van a desconcertar a la opinión pública norteamericana. Veían en los medios de comunicación lo que acontecía con algunos prisioneros de guerra norteamericanos que habían sido capturados por las fuerzas enemigas e internados en campos de concentración chinos. Cuando salían de ellos, hacían furiosas declaraciones contra su país y defendían la causa del enemigo. Quienes los habían conocido antes no los reconocían ni lograban entender lo que podía haberles pasado. Los prisioneros se mostraban como personas muy diferentes en relación con quienes habían sido. Esas experiencias fueron muy pronto calificadas de «lavado de cerebro».

Muchos se planteaban cómo se había logrado una transformación semejante; qué era lo que generaba en aquellos prisioneros un cambio tan inesperado como radical. En otras palabras, cuáles eran las bases para generar en ellos un cambio tan significativo de actitudes, creencias y comportamiento. Estas experiencias parecían expandir los límites previamente aceptados del aprendizaje, lo que muchos tomaron como un desafío para la investigación. De descubrirse las bases de estas transformaciones, se pensaba, podrían producirse cambios que podrían ser altamente beneficiosos. Ese es el origen del programa de «aprendizaje transformacional».

Desde muy temprano la investigación sobre el aprendizaje transformacional se vio marcada por las características de las experiencias del campo de concentración que lo habían iniciado. El modelo subyacente era el de la tortura. Se habló de «persuasión coercitiva» y se exploraron los efectos en el aprendizaje de la presión por la fuerza para lograr influir en los demás y cambiar sus disposiciones iniciales.

En marzo del 2002, la Harvard Business Review le hizo una entrevista a Edgar Schein en la que éste evalúa los resultados de este «research program» (The Anxiety of Learning, HBR, marzo 2002). Schein había sido el principal pionero en desarrollarlo. Sus conclusiones son demoledoras. En sus palabras, el aprendizaje transformacional es una experiencia muy difícil de generar, que se produce muy escasamente y cuando sucede se sustenta en un inmenso sufrimiento, generando en quienes participan en ella una gran angustia. Todo ello compromete, en la opinión de Schein, el que podamos desarrollar adecuadamente esta modalidad de aprendizaje. El «research program» puede declararse abortado.

Las conclusiones de Schein son interesantes. En parte, estamos de acuerdo con ellas. Dados los presupuestos en los que se sustentó el programa de investigación, sus resultados no podían sino ser altamente discutibles. Schein lo entiende bien. ¿Pero implica ello acaso que no existe otra plataforma en la que pueda sustentarse una investigación exitosa sobre el aprendizaje transformacional? En este respecto, no podemos sino discrepar con Schein. Lo que él declara abortado es tan sólo una opción particular sobre la cual concebir este tipo de aprendizaje. Pero ella dista de ser la única.

Nuestra propia experiencia nos muestra que el aprendizaje transformacional es perfectamente posible. Sin embargo, para que sea exitoso

Aprendizaje transformacional y *metanoia*[52]

Los antiguos griegos utilizaban el término *metanoia* para referirse a este tipo de aprendizaje. *Metanoia* significaba para ellos una ruptura de nivel interior, un salto cualitativo en la forma de ser de un individuo. Con ello se hacía referencia al tránsito hacia un plano de emocionalidad, y comprensión diferente de aquel en que hasta entonces se había vivido. En este entendido, implicaba una radical mutación en el sentido de la vida.

Este tipo de aprendizaje involucraba un cambio de mente, cambio que producía en la vida una modificación en la dirección que hasta entonces habíamos seguido. Tal experiencia de aprendizaje se convertía en un hito, en un punto de inflexión en nuestras vidas, y en la manera como le conferíamos sentido al mundo, a los demás y a nosotros mismos. Muchas veces ella resultaba luego de determinados ritos de iniciación. Lo que estaba en juego en las experiencias de *metanoia* no era la adquisición de nuevos repertorios de acción, sino la modificación de los presupuestos a partir de los cuales actuamos.

La palabra *metanoia* es recurrente en el Nuevo Testamento —en boca de Juan Bautista primero y de Jesús, después— y se le asigna un papel determinante en el mensaje de Jesús. *Metanoia* involucra conversión, aceptar el nuevo sistema de creencias que nos ofrece Cristo. Desgraciadamente la traducción habitual de este término a nuestras lenguas ha sido «arrepentimiento» o «penitencia». Tanto Juan Bautista como Jesús al invitarnos a la metanoia, nos habrían convocado a arrepentirnos. Pero ello

---

éste debe sustentarse en una plataforma ética que es exactamente la opuesta a aquella que marcara el desarrollo del programa de investigación seguido por Schein y muchos otros. Dicha plataforma ética, de signos opuestos a aquella que se funda en el modelo de la tortura, permite alcanzar experiencias de aprendizaje transformacional tan exitosas como frecuentes.

[52] En esta sección he contado con la valiosa colaboración de Luz María Edwards.

tergiversa el sentido original del término. La palabra griega, si bien recoge la noción de hacerse consciente de una falla en el pasado, no se queda allí, incubando sentimientos de culpa y mirando hacia atrás, sino que traslada la mirada al futuro en un movimiento de esperanza, de reparación y de aprendizaje a partir del reconocimiento de un error, de una carencia o de una falta. El arrepentimiento se sustenta en la culpa e implica una mirada dirigida al pasado, con lo que inmoviliza o al menos debilita la capacidad de transformación. Al dirigirse al futuro y no al pasado, la *metanoia*, en su sentido más profundo, lleva a producir un «renacimiento» en quien la experimenta, al permitir el surgimiento de una forma de ser que previamente no estaba presente.

Metanoia quiere decir literalmente «más allá de la mente», esto es, más allá de las categorías mentales que hasta el momento nos han gobernado. Es una palabra clave, a la que se ha dado también la traducción de «conversión», aquel acto o proceso que nos conduce a llegar a convertirnos en un ser diferente, de aquel que habíamos sido. Normalmente le damos a ese término un sentido religioso. Sin descartar que muchas veces pueda implicar una transformación religiosa, no tiene que ser así necesariamente. Existen muchas otras formas de participar en procesos profundos de transformación personal.

En este proceso profundo, que llamamos *metanoia*, sucede que se vislumbra como posible aceptar lo que antes parecía inaceptable, no como si se tratara de una derrota, sino como una disposición activa y victoriosa respecto de la manera habitual de reaccionar que nos conducía y que nos mantenía en un estado de insatisfacción. Se vislumbra como posible lograr aquello que anteriormente juzgábamos fuera de nuestro alcance. Tiene lugar entonces un cambio en el mismo núcleo del observador. Este fenómeno es lo que hemos llamado «aprendizaje transformacional».

La apertura, la nueva mirada que emerge en estos procesos, pasa necesariamente por abandonar antiguas opiniones, *emocionalidades* recurrentes, convicciones no revisadas a las cuales nos sentíamos estrechamente vinculados, y que daban forma a nuestra vida. Para efectuar un aprendizaje transformacional es indispensable dejar atrás la mirada habitual con que observábamos el mundo. «No se pone vino nuevo en odres viejos», dice Jesús.[53] De no ser así, nuestro aprendizaje quedará en el estadio del segundo orden, aprendizaje que modifica, pero no transforma.

Este desplazamiento de los mecanismos habituales de pensar y de sentir, supone un espacio vacío, un silencio, constitutivos de la experiencia mística en todas las tradiciones, y que lo son también de la experiencia del hombre común cuando hace silencio de las propias conversaciones internas, de los juicios habituales, de ciertos estados anímicos, siempre antes justificados, tales como el resentimiento, la culpa o la resignación.

Cabe preguntarse ¿es esta transformación posible para todo ser humano? La respuesta universal es «sí». Más aún: es posible en esta existencia. Cuando hablamos de *metanoia*, no nos referimos a lo que podría suceder después de la muerte del cuerpo físico, o en el fin de los tiempos. Se puede pasar de la muerte a la vida durante la existencia terrenal. No es otro el mensaje de los Evangelios y de los libros sagrados de todas las tradiciones: de los sufíes, los budistas tibetanos, los *yogis* de la India. Esta transformación es posible, y supone el paso de un nivel de forma de ser a otro nivel de forma de ser.

Si hemos de transitar por ese camino, nuestro punto de partida se encuentra en el ser corriente que hoy día somos. Es el estadio que las tradiciones asimilan a la «muerte»,

---

[53] Mateo 9:17

(«Dejad que los muertos entierren a sus muertos»[54]) y que se compara también con el sueño. Las enseñanzas tradicionales en ese entendido hablan de «despertar». Para nosotros, ese despertar consiste en cambiar el punto de mira del observador que somos. La *metanoia*, la transformación, el salto de nivel, «más allá», no es otra cosa que la muerte del antiguo observador, de un observador que llega a ser tocado en su núcleo más profundo y que, soltando, tomando, desde su vacío, desde su silencio, y desde la humildad de la declaración de ignorancia, se atreve a dar el gran paso.

Todo camino de aprendizaje transformacional, de *metanoia*, lleva a lo que se ha llamado «la muerte de sí mismo», la muerte de cierto nivel, de cierto punto de observación, para acceder a uno nuevo. Una vez más los Evangelios nos proporcionan una metáfora: «si el grano no cae en tierra y muere, se queda solo; mas si muere, da muchos frutos»[55]. Todos son llamados a esta transformación. No estamos hablando aquí de psicología o de moral. No se trata sólo de llegar a ser menos egoísta o más equilibrado emocionalmente. Se trata de una experiencia interior remecedora que se presenta como una muerte y una resurrección en esta vida. No estamos hablando de reformar o modificar, sino de transformar: de un observador que abandona el pedestal desde donde observa y construye su mundo, y lo cambia por otro. Desde este nuevo sitial, su mundo será otro. Sostenemos que podemos aspirar a transformaciones a este nivel: a una *metanoia* en esta vida que podrá –o no– vincularse con la noción de una divinidad externa y que permitirá una expansión del ser-en-camino que somos, a mayores o menores grados de transformación.

El aprendizaje transformacional nos lleva a otros dominios en que el abandono de «los odres viejos» permite el

[54] Lucas 9:60

[55] Juan 12:24

advenimiento de otras voces. Para el cristianismo la culminación de este proceso se expresa como «Ya no soy yo que vive, es Cristo que vive en mí»[56]. Hay que advertir, sin embargo, que una *metanoia*, una transformación de ese orden, no tiene lugar por sí sola. Vivimos apegados a nuestra manera habitual de aprehender lo que entendemos por «la realidad», a través del filtro de nuestros miedos, y esperanzas, de nuestros juicios y opiniones, de nuestros rechazos y deseos; de los estereotipos del bien y el mal que han gobernado nuestras vidas. Y llega entonces el momento de soltar. Recordemos la severidad de Cristo hacia los doctores de la ley, hacia los fariseos, hacia aquellos que observan a la perfección los mandamientos, y que transmiten dogmas de generación en generación, pero que no se han transformado de manera de aprehender su espíritu.[57]

Desde esa «nada», desde ese «sólo sé que nada sé», comienza a tomar forma el nuevo observador, el hombre nuevo. La *metanoia* está en marcha: más allá de los juicios, de la inteligencia, de la mente: de las antiguas categorías. Meta: más allá. En el núcleo profundo comienza a desarrollarse una dinámica generadora de nuevas formas de ser. Y esto, en el caso de las diferentes ascesis se conduce a través de técnicas muy concretas. Las enseñanzas espirituales son unánimes al respecto. Y, por nuestra parte, sabemos que esa transformación puede lograrse a través de prácticas sustentadas en la Ontología del Lenguaje.

En nuestra propuesta, el primer paso hacia la transformación se da en el casillero de los Resultados del Modelo OSAR. Cuado nos invade la sensación –a veces global, difusa– de que algo no anda bien en nuestra vida, de que no estamos satisfechos, y que algo tiene que cambiar, estamos mirando nuestros resultados. ¿Por qué ellos no generan en nosotros la expansión

---

[56] Pablo, Gálatas 2:20

[57] Lucas 11: 37-52

que esperábamos, el contentamiento, el bienestar? Al identificar aquellos resultados que no fueron los que esperábamos, y superados los niveles de explicaciones, justificaciones o resignación, nos dirigimos al casillero de la Acción, y nos concentramos en intentar acciones diferentes. A esto llamamos aprendizaje de primer orden. Cuando, sin embargo, advertimos que los resultados siguen siendo insatisfactorios, a pesar del cambio en las acciones, podemos dirigirnos al casillero del observador, y efectuar algunas modificaciones allí, que permitan mejorar aquellos resultados: aprendizaje de segundo orden.

Puede, sin embargo, suceder que los resultados aún no nos satisfagan; o bien, puede ser que, habiendo obtenido los resultados previamente deseados, aún sintamos esa suerte de insatisfacción, que empieza a perfilarse como algo más hondo. Estamos entonces a un paso de declarar nuestra ignorancia y nuestra apertura a ese otro tipo de aprendizaje. Nos encontramos en el umbral de la *metanoia*.

Aunque el dominio religioso pueda o no estar involucrado en este tipo de experiencias, el dominio de la ética suele estar siempre presente en ellas. La transformación en el dominio del ser constituye un giro ontológico que se vive como un significativo y fundamental desplazamiento ético, por cuanto implica un cambio en nuestro sentido de vida y, muchas veces, en el tipo de relaciones que mantenemos con los demás.

II
EL APRENDIZAJE

El tema del aprendizaje ha estado presente desde el inicio de este libro. Lo veíamos aparecer en el capítulo I del primer volúmen, cuando presentábamos nuestro Modelo OSAR. Más adelante, volvía a aparecer al abordar el tema de la relación de los juicios con la capacidad de transformación de los seres humanos. Hemos hecho referencia al aprendizaje cuando hablábamos de la capacidad de adaptación de un sistema vivo a los cambios del entorno, de manera de asegurar su sobrevivencia. Hemos aludido al aprendizaje en múltiples otras oportunidades.

Es hora, por lo tanto, que nos concentremos de manera específica en él y que procuremos ofrecer una interpretación coherente sobre el fenómeno que designamos con el nombre de aprendizaje. La pregunta central que buscaremos responder es, por lo tanto: ¿qué es el aprendizaje?, ¿cuál es su importancia en la vida de los seres humanos? y, muy particularmente, ¿cuál es su importancia en el momento actual de nuestra historia? Al responder esas preguntas, procuraremos especificar las condiciones que nos permiten desarrollar competencias de aprendizajes de manera de estar en condiciones de modificar nuestra capacidad de acción y, por sobretodo, de mejorar los resultados que obtenemos en la vida. Como puede apreciarse, no se trata entonces de un tema trivial.

1. El aprendizaje en la actual coyuntura histórica

Comencemos con la tercera y última de las preguntas levantadas arriba: la importancia actual del aprendizaje. Si miramos la historia de la humanidad es muy posible que concluyamos que a medida que esta historia se ha desarrollado, la importancia del aprendizaje para los seres humanos se ha acrecentado. Resulta difícil evaluar la importancia del aprendizaje en un pasado remoto, cuando las amenazas que enfrentábamos como especie eran quizás mucho más inmediatas y donde se requería aprender desde muy temprano distintas estrategias de sobrevivencia. Con todo, hoy en día podemos detectar nuevas presiones sobre el aprendizaje que antes eran desconocidas.

Es difícil comparar un período histórico de un pasado lejano, con las situaciones que encaramos en el presente. Sin embargo, puede argumentarse que las amenazas que hoy enfrentamos comprometen la sobrevivencia del conjunto de nuestra especie y no sólo de un individuo o de una determinada tribu y comprometen también la sobrevivencia de múltiples otras especies en nuestro planeta. A menos que hagamos algo muy distinto, a menos que aprendamos formas de vida diferentes, es muy posible que seamos incapaces de impedir esos resultados catastróficos.

Examinemos, en primer lugar, la relación entre nuestra filogenia (nuestro desarrollo histórico como especie) y nuestra ontogenia (nuestro desarrollo como individuos). Una mirada inicial nos muestra que en la medida que transcurre la historia de la humanidad, el período de la vida de un individuo destinado de manera prioritaria a las actividades de aprendizaje, se ha ido expandiendo, cubriendo cada vez una proporción mayor del ciclo de la existencia humana. Luego de un largo período en el que las tareas educativas se realizaban de manera informal, al interior de la convivencia familiar y tribal, en la medida que se hacían otras cosas, fue necesario instituir un período de aprendizaje caracterizado por procesos formales de educación, procesos que requerían de una institucionalidad especial para cumplir con determinados objetivos de aprendizaje.

Hoy estamos tan acostumbrados a la existencia de una institucionalidad dedicada a la educación que muchas veces perdemos de vista el hecho que estamos hablando algo extremadamente reciente. Se trata en rigor de algo que todavía representa una gran novedad y que no existía, al menos como hoy lo conocemos, en la mayor parte de la historia de la humanidad. Uno de los mayores impulsos para la gestación de esta institucionalidad educativa fue el salto en nuestra capacidad de almacenamiento de conocimiento que nos proporcionó el lenguaje. Pero incluso durante mucho tiempo, luego de la invención del lenguaje, esta institucionalidad sólo lograba afectar la vida de un sector muy reducido de la población, dejando a la gran mayoría de los seres humanos al margen de ella. La universalización de la educación es un fenómeno de las últimas décadas y frente a cual es importante advertir que todavía existen amplios sectores de la población humana que todavía no han sido afectados.

Con todo, luego de la emergencia de una institucionalidad social dedicada a la educación de los miembros de una comunidad, a pesar de que no todos accedían a ella, se producía una suerte de separación entre un período más temprano de la existencia individual, dedicado primordialmente al aprendizaje, y un período posterior, adulto, de mayor duración, dedicado básicamente al trabajo o a asumir otras responsabilidades sociales. Este segundo período era concebido como uno de aplicación de las enseñanzas previamente adquiridas y en el que el aprendizaje volvía a realizarse de manera nuevamente informal. En adultez los seres humanos no dejaban de aprender, pero lo hacían al margen de institucionalidad formal dedicada a producir aprendizaje. Sólo excepcionalmente, de manera episódica, se recurría a procesos formales de formación.

Pero esta dejó de ser la sociedad en la que hoy vivimos. Por el contrario, en la sociedad de hoy la gente se cambia de empleo en un promedio de menos de cuatro años, cambia su carrera tres o cuatro veces durante su vida, debe reconciliarse constantemente con el hecho de que las competencias aprendidas durante los primeros años de su educación pierden su vigencia y ello llama a la adquisición de nuevos conocimientos y al desarrollo de nuevas habilidades. En la sociedad actual el aprendizaje se ha convertido en un imperativo de toda la vida. No hay etapa de nuestra vida en la que no se requiera aprender.

Nuestra época actual, con todo, nos presenta desafíos que anteriormente no estuvieron presentes. Deseo referirme fundamentalmente a dos de ellos: la aceleración del cambio y la crisis del sustrato de nuestro sentido común.

a. La aceleración del cambio en el mundo actual

No nos explayaremos en la exposición de las raíces del fenómeno. Se trata de algo de sobra conocido y aceptado. Lo que nos interesa es dimensionar su importancia para reevaluar la importancia actual del aprendizaje. Sabemos que uno de los rasgos del mundo contemporáneo es lo que ha sido caracterizado como la aceleración del cambio. La velocidad de la innovación en el mundo de hoy ha alcanzado proporciones nunca antes vistas. Día a día surgen nuevos productos y soluciones, nuevas tecnologías y procedimientos para hacer las cosas, nuevas ideas y teorías, nuevas posibilidades, nuevos valores y creencias, nuevas sensibilidades, etcétera.

Hubo un momento en el que se repetía el dicho que «hoy en día lo único constate es el cambio». Hubo incluso algunas casas de cambio que colocaban esa frase en sus vitrinas, como recurso publicitario. Pero estamos más allá de esos días. Hoy sabemos que incluso el cambio está también cambiando. Que la forma que asumen las transformaciones se modifica con fuerza equivalente a los contenidos que ellas conllevan. Los patrones de cambio se alteran en la medida que se modifican las tecnologías que inciden en el cambio y que se expanden las dinámicas de influencias mutuas entre los distintos componentes de los sistemas sociales. Pero no sólo cambia el patrón de la transformación, cambia también la velocidad del cambio. Éste exhibe una aceleración cada vez más vertiginosa. La noción de estabilidad cada día pierde más sentido. Y ello se extiende a prácticamente todas las esferas de la existencia humana.

Todo esto somete al desafío de tener que actualizar nuestras competencias y conocimientos constantemente. Lo que es efectivo hoy sabemos que no lo será mañana. De una u otra forma, todos enfrentamos la amenaza de la obsolescencia. Frente a ello tenemos, por lo general, dos opciones: o nos hacemos obsoletos nosotros mismos o nos harán obsoletos otros. De suceder esto último, nuestra capacidad de acción efectiva se enfrenta a su inevitable caducidad. La única alternativa para mantenernos vigentes es ser nosotros mismos quienes provoquemos nuestra propia obsolescencia. Ello significa aprendizaje y, por lo tanto, abandonar lo que hoy sabemos para incorporar nuevas formas de hacer, de pensar, de sentir. Se trata de un aprendizaje que debe comenzar hoy; que tiene que ser parte obligada del nuestro trabajo cotidiano. Mañana posiblemente será muy tarde. Estamos obligados a anticiparnos a los cambios por venir.

Esta misma aceleración del cambio ha modificado por completo la noción de carrera. En un pasado muy cercano los individuos definían sus carreras —el camino de desenvolvimiento que seguirían en el futuro— durante la adolescencia. Una vez escogido, ese camino se solía mantener inalterable prácticamente hasta el momento de la muerte. La carrera era como el matrimonio: para toda la vida. Sólo excepcionalmente percibíamos que algunos hacían cambios en ella. Eso se ha terminado. Hoy en día la carrera se ha convertido en un dominio permanente de inquietudes para un número creciente de seres humanos. La carrera ha dejado de ser un camino que se mantiene inalterable para toda vida. Por el contrario, la vida obliga a un número cada vez mayor de individuos a realizar mutaciones importantes en sus carreras. Quién comenzó desempeñándose en una determinada área, oficio o profesión, suele, a muy poco andar, estar en algo muy diferente para luego comprobar que tiene que volver a cambiar. Ellos nos obliga a estar aprendiendo constantemente.

b. La crisis del sustrato de nuestro sentido común

A lo anterior, se suma algo todavía más desafiante. La manera como hacemos sentido de lo que acontece a nuestro alrededor y la forma como generamos sentido de nuestra existencia, están ambas en crisis. Ello se expresa de muy diversas maneras. Se traduce en rupturas y deterioros reiterados en nuestras relaciones personales más significativas, en crisis vocacionales, en crisis religiosas, en recurrentes angustias, sufrimientos, desorientaciones. La vida nos golpea por los lados más inesperados y pareciera a menudo empujarnos a precipicios que quisiéramos evitar. Los soportes que en el pasado nos permitían sujetarnos, a los que nos agarrábamos cuando nos sentíamos caer, parecieran verse arrastrados al abismo junto con nosotros. Tenemos dificultades para apoyarnos en algo que demuestre ser firme. Todo pareciera desplomarse, despeñarse.

El sustrato más profundo de nuestro sentido común no logra cumplir con el propósito de proveernos el sentido de vida que necesitamos. La humanidad ha entrado en una profunda crisis de sentido de la que nos es imperativo salir. Hasta ahora hemos vivido los diversos síntomas de esa crisis, sin haber sido capaces de situar sus raíces, sus causas más profunda. Poco a poco estamos comenzando a descubrir que se trata de una crisis del tipo de observador que hemos sido por alrededor de 25 siglos.

La misma noción de observador surge de la búsqueda de aquel lugar donde pueda residir esta crisis que tanto nos abruma. Sin la noción del observador pareciéramos estar perdidos. Con dicha noción, tenemos la esperanza de saber dónde hay que dirigirse y qué es aquello que requiere ser cambiado. Pero sabemos que se trata de un cambio profundo, de una transformación de los supuestos que han dado lugar a esa forma de ser que nos ha constituido durante muy largo tiempo. Intuimos aquello que tenemos que cambiar y muchas veces la radicalidad de este cambio nos asusta. Todavía no logramos percibir del todo el nuevo territorio que será necesario inaugurar. Estamos situados en su frontera y desde allí nos asomamos para vislumbrar una tierra virgen que deberemos conquistar. Pero sólo vemos lo que tenemos encima, sin identificar con claridad lo que pudiera hallarse detrás.

Todo ello comprensiblemente nos asusta. Sin embargo, cada día nos convencemos más de que nuestro trayecto no tiene retorno, que lo que hemos dejado atrás ha devenido insalvable. Comenzamos a comprender que sólo nos cabe levantar la mirada y caminar hacia adelante. Éste es un camino de aprendizaje, quizás el más desafiante y difícil de todos los aprendizajes, pues se trata de un aprendizaje que no sólo busca hacernos mejores, sino por sobretodo hacernos muy distintos de cómo hemos sido hasta ahora. No se trata de perfeccionar nuestra habitual forma de ser. No se trata de hacer pequeños ajustes. El «recurso de los epiciclos», que busca realizar alteraciones en la superficie para salvar el núcleo más profundo de nuestra alma, pareciera haberse agotado. Se trata de sustituirla; de dejar atrás quienes fuimos para iniciar no sólo una vida nueva, sino para inaugurar una forma de ser diferente. Creemos que éste es el principal llamado de nuestra época. El llamado a múltiples aprendizajes pero, por sobre todos ellos, un llamado a lo que inicialmente hemos llamado aprendizaje transformacional, un llamado a una radical metanoia.

Nuestra primera consideración aludía a la caducidad de nuestras competencias. La segunda es mucho más profunda pues alude a la caducidad de nuestra forma de ser. Siguiendo a Spinoza, entendemos que es propio de todo ser vivo la perseverancia de su ser. Ello implica preservar y expandir la vida. En el caso de los seres humanos, sin embargo, hemos sostenido que el desafío es todavía mayor. Enfrentamos el desafío de hacer de la vida una oportunidad de transformación del ser que somos, de inventar el ser al que aspiramos y de convertirnos en él. Más que preservar el ser, nuestro desafío implica transformarlo.

Pero hoy en día se han generado condiciones para algo que no es equivalente a la forma como ese desafío era concebido en el pasado. Durante un largo período de la historia de la humanidad, la expansión del ser se realizaba al interior de un camino prediseñado y sustentado por la hegemonía del programa metafísico. Sólo muy recientemente hemos comenzado a darnos cuenta que al parecer hemos errado el camino y descubrimos que nos hallamos en un callejón sin salida. Esta fue la gran advertencia que nos legara Nietzsche. Desde entonces, todo pareciera confirmar que no se equivocaba. Nuestra crisis se ha hecho cada vez más profunda.

El tipo de transformación que hace falta, el tipo de aprendizaje que se nos impone, tiene por lo tanto un carácter muy distinto del que encarábamos en el pasado. Ya no se trata tan sólo de añadir nuevas competencias a nuestros repertorios, no se trata incluso, como lo hemos dicho, de perfeccionar el ser que éramos, se trata de cambiar su base de manera de poder avanza hacia un tipo de ser muy diferente de aquel que estábamos previamente acostumbrados. Se trata por consiguiente de transformar la dirección de la propia transformación, de rehacer el camino recorrido y de dirigirnos hacia un norte que antes nunca habíamos explorado. ¿Seremos capaces? No lo sabemos. Sin embargo, sospechamos que la sobrevivencia tanto de la especie humana como del planeta depende de ello. Por lo tanto, sin esperar más, nos hemos puesto a andar.

2. El status ontológico del aprendizaje

Desde la perspectiva de la ontología del lenguaje, el aprendizaje representa el desafío quizás más importante al que se enfrenta todo ser humano durante su existencia. Es lo que hace la diferencia entre el contentarse con vegetar y una vida humana vivida en plenitud. Una vida en la que no sólo reconocemos nuestro espontáneo devenir, sino en la que nos comprometemos como agentes activos de nuestras posibilidades de transformación. Desde la disposición del vegetar miramos pasivamente los cambios que la vida nos impone. La opción opuesta es la de asumir en nuestras manos el desafío de nuestra propia superación.

Es esta percepción la que lleva a Nietzsche a sostener que los seres humanos somos un puente entre los animales y los dioses. Lo que lo lleva a hablar del *übermensch*, del ser humano comprometido con su propia superación, tan mal traducido al castellano como el superhombre. Se trata de un ser humano que busca alcanzar modalidades de ser que se hallan más allá de sí mismo en el presente, que reconoce en la vida un camino no sólo de cambio, sino de trascendencia. Se trata de un ser humano que mira la vida como un inmenso espacio de transformación y de aprendizaje. Los seres humanos no somos un producto terminado, ni un proyecto concluido. Somos por sobre todo una apertura y un horizonte. Apertura a la transformación y al aprendizaje. Horizonte en que vemos levantarse un ser humano nuevo. Somos, por sobre todo, nos dice Nietzsche, una promesa lanzada al futuro. Somos un desafío a llegar a ser lo que hoy no somos.

Este planteamiento, que se aplica en general a todo ser humano, adquiere en nuestros días una importancia y una urgencia que no podemos desconocer. La opción de ser el mismo durante toda la vida, de concentrarnos en darle estabilidad a nuestro ser y a nuestros más tempranos compromisos, es algo que el sistema en el que hoy vivimos no lo está permitiendo. Quién sólo quiere preservar el ser que ha sido, lo hace al precio de comprometer la vida. La preservación hoy implica transformación y ello se llama también aprendizaje. La estabilidad de nuestra identidad ha dejado de ser materia de opciones individuales. Sistémicamente tal opción deviene crecientemente impracticable. Es el sistema, en su actual nivel de desarrollo, el que nos obliga a superarnos, a transformarnos, como condición de nuestra sobrevivencia individual. La inmutabilidad del ser ha devenido, en la práctica, un completo anacronismo. Ello le quita el sustento, le mueve el piso, al programa metafísico que lo postula, al nivel de la teoría.

Bajo estas condiciones, en vez de luchar contra esas fuerzas que nos convocan a la transformación y el aprendizaje, en vez de resistirnos a las presiones que el actual sistema social nos impone, es preferible escuchar el llamado y disponernos a la apertura a la que toda transformación nos obliga. Resistir equivale optar por nuestra destrucción. Transformarnos es hacernos partícipes de nuestra propia creación y, dicho en lenguaje teológico, avanzar hacia nuestra salvación. Esta coincidencia con el lenguaje bíblico no es arbitraria.

El Nuevo Testamento se inicia como un llamado a la metanoia, término griego que significa una transformación cualitativa que quienes hasta ahora hemos sido y que, como hemos reiterado antes, ha sido traducido erradamente como «arrepentimiento». El desafío no es encarar la culpa, sino prepararnos para un gran salto. Pero el nuestro no es un llamado para que la gente se convierta en «algo determinado» que le confiera un contenido particular a su nueva forma de ser. Nuestro llamado es a convertirnos en aprendices, es un llamado a la transformación más allá de los contenidos específicos que ella asuma. Dicho en otras palabras, es un llamado al devenir y no un llamado al ser. O dicho incluso en palabras diferentes, es un llamado a devenir un ser que deviene, comprometido con su transformación y por consiguiente con el aprendizaje.

3. Transformación y conservación

Lo anterior asusta a muchos. Produce inestabilidad, incertidumbre frente a lo desconocido, pues no hay transformación que no implique entrar efectivamente en territorios nuevos, no antes explorados. Muchos sienten que los estamos presionando a cambiar lo que no quieren, lo que valoran. De este miedo tenemos que hacernos cargo, pues resulta perfectamente legítimo y comprensible. Como una forma de responder a ello, haremos diversos alcances.

En primer lugar, si observamos con cuidado lo que estamos señalando, no estamos proponiendo objetivos concretos de cambio. No estamos especificando el contenido de la transformación. La dirección que ésta debe tomar, requiere ser definida por cada uno, por cada individuo. Se trata de un desafío que no se orienta a imponer, sino a liberar. No existe la persona que sepa cuál es el camino que deben seguir los demás. El llamado no es a cumplir con un determinado ideal de transformación, sino, tan sólo, de mostrar la importancia y conveniencia de la transformación como ideal. Nada expresa en mejor forma lo que estamos señalando que aquella frase del libro de Lao Tsé, el Tao Té King, cuando nos señala que quién cree conocer el camino, en rigor nada sabe del camino. No existe un camino predeterminado de transformación, cada uno debe determinar el suyo.

Segundo alcance. Nada nos obliga a abandonar aquello en lo que creemos, lo que todavía nos hace sentido, lo que posee valor en nuestras vidas. Por el contrario, la transformación requiere acometerse soltando lo que ha perdido sentido. Es precisamente la crisis de sentido que hoy vive la humanidad la que requiere guiar nuestro camino de transformación. Si algo es importante, si algo representa un soporte efectivo a nuestra existencia, preservémoslo. Como suele decirse en inglés, cuidémonos de no arrojar el bebé cuando botemos el agua de la bañera. Cada uno no sólo es libre para determinar el camino de su transformación, sino también para determinar lo que está y lo que no está dispuesto a cambiar. El camino de nuestra transformación se realiza como ejercicio y expresión de nuestra libertad.

Tercer alcance. Tampoco se trata de cambiarlo todo pues, aunque lo quisiéramos, ello no es posible. Toda transformación supone siempre conservación. Humberto Maturana nos insiste en esto reiteradamente. Nadie puede cambiarlo todo de manera que el tránsito a una fase diferente no mantenga rasgos de nuestro estado anterior. Esta es una suerte de ley general de la transformación. La vemos expresada, por lo demás, en múltiples experiencias. Si pensamos en alguien a quién le atribuimos transformaciones muy profundas, siempre es posible reconocer en él o en ella algunos rasgos importantes de su modalidad de ser pasada. Y muchas veces sucede que se producen debates entre los que destacan lo que observan de nuevo y otros insisten en los múltiples rasgos conservados. Estas discusiones suelen ser inútiles. Ambos tienen razón: hay rasgos transformados y hay otros conservados. Lo uno no contradice lo otro. El hecho mismo de que sintamos la necesidad de hablar de los rasgos conservados más bien confirma la transformación.

Dentro de este mismo punto, es preciso, sin embargo, hacer un alcance adicional. Nos referimos al fenómeno de la no-linealidad del cambio, tema que abordáramos cuando desarrolláramos el tema del enfoque sistémico. Dicho brevemente: no todo cambio produce resultados equivalentes. Decíamos que uno de los rasgos del enfoque sistémico era poner en cuestión el criterio de la linealidad que caracteriza al enfoque científico tradicional. Tal criterio postulaba que la magnitud de la causa determinaba la magnitud del efecto. Dicho en otras palabras, que existía una proporcionalidad ente input y output. El enfoque sistémico demuestra que, en múltiples oportunidades, tal criterio no se sostiene. En otras palabras, que pequeñas alteraciones pueden producir inmensos resultados, así como inmensas alteraciones pueden producir resultados muy pequeños o insignificantes. Pero cuidado: no se trata de invertir el criterio tradicional y suponer que los efectos pequeños son los que producen los grandes cambios y viceversa. El criterio de no linealidad es siempre específico y remite a las condiciones concretas en las que se produce.

Éste es un terreno en el que tenemos mucha experiencia. Sabemos, por ejemplo, que cuando un individuo aprende a decir que no, aprende a pedir, aprende a escuchar, aprende a fundar sus juicios y a soltar otros, aprende a perdonar o a agradecer, todas competencias relativamente pequeñas, ellas pueden inducir transformaciones muy grandes en sus condiciones de existencia, en la calidad de sus relaciones personales, en el nivel de efectividad que obtiene en el trabajo y, en general, en el nivel de satisfacción que siente consigo mismo y con su vida.

Este reconocimiento es algo habitual cuando trabajamos con lo que llamamos competencias ontológicas, por el carácter mismo que poseen tales competencias. La práctica del coaching ontológico está llena de experiencia de este tipo. De allí que para algunos ella genere resultados cuasi milagrosos. Pero no hay en ello nada de milagroso. Se trata simplemente de un trabajo dirigido al dominio de las competencias ontológicas que, por definición, suelen desafiar el criterio de la linealidad y producir resultados sorpresivos. Éste es su gran poder. Y se trata, por lo demás, de un poder que podemos enseñar y que la gente puede aprenderlo. Y nuevamente, se trata de un pequeño aprendizaje que suele generar saltos cualitativos en vida de las personas,

4. La meta-competencia de aprender a aprender

Los seres humanos, en un nivel inicial, no necesitan ser instruidos acerca de cómo aprender. Desde los primeros instantes de nuestra vida, aprendemos sin que nadie nos diga cómo. Y seguimos aprendiendo por el resto de nuestros días. Esta competencia para aprender en forma continua a menudo produce una ceguera que nos hace tomar el aprendizaje por garantizado. A menos que estemos tratando con ciertas inhabilidades del aprendizaje, estamos normalmente más preocupados por «qué» aprendemos que por «cómo» lo hacemos.

Esto, sin embargo, conlleva al menos tres problemas. Primero, no centra la atención en el hecho de que hay muchas áreas en nuestras vidas en las que desarrollamos resistencias al aprendizaje, y continuamos realizando acciones inefectivas. Cometemos constantemente los mismos errores, siguiendo los mismos patrones, enfrentando las mismas dificultades. Segundo, dejamos de apreciar el hecho que aunque aprendemos, podríamos haberlo hecho mejor. Tercero, no nos prepara suficientemente para convertirnos en agentes efectivos de nuestro propio aprendizaje.

Todos hemos aprendido muchas cosas en el transcurso de nuestra vida, y ello nos ha generado diversas competencias. Algunos han desarrollado competencias para escalar montañas. Otros, para tocar el violín, otros, para liderar un equipo de trabajo. Esos aprendizajes, y las competencias que de ellos derivan, han ensanchado el espectro de posibilidades que se abren ante nosotros y han multiplicado, en consecuencia, nuestra capacidad de acción. Todo ello, naturalmente, va incidiendo en la forma particular de ser de cada uno. Los seres humanos somos capaces de grandes aprendizajes.

Hay, sin embargo, una gran competencia que no todos hemos adquirido: la de realizar en forma competente la acción de aprender. El aprendizaje no es sólo una manera de incrementar nuestras competencias, nuestra capacidad de acción. Es, en sí mismo, también una acción que requiere de competencias propias. Hasta ahora, el énfasis estaba puesto en las acciones que se aprendían, pero escasamente en aquellas que aseguran aprendizajes efectivos. Se nos enseñan muchas cosas, pero no se nos enseña a «aprender». Y resulta que «aprender a aprender» es la madre de todas las competencias. De ella nacen todas las demás.

Postulamos aquí que el aprendizaje de cómo aprender es una de las competencias fundamentales en el mundo de hoy: es nuestro recurso más poderoso en relación al cambio. Esta propuesta no sólo es válida para los individuos, lo es también para las organizaciones. Como se ha repetido mucho, el futuro pertenecerá a aquellos quienes expandan progresivamente su capacidad de aprender: el individuo y los sistemas sociales, como las organizaciones.

Tal como lo planteáramos previamente, durante siglos hemos considerado que nuestras principales experiencias de aprendizaje ocurrían durante los períodos de la niñez y de la adolescencia. Estos eran entendidos como los años de la vida en que se aprendía. Con el desarrollo del sistema educacional y, particularmente, con la importancia otorgada a la educación profesional a nivel universitario, muchos hombres y mujeres extendieron su período educacional hasta sus primeros años de la vida adulta. Sin embargo, aún se entendía que después de la graduación, la etapa educacional de la vida había terminado y debíamos hacer la transición desde la esfera de la educación a la del trabajo.

Todos sabíamos, por supuesto, que algo de aprendizaje iba a ocurrir todavía a medida que envejeciéramos, pero se suponía que éste sería muy distinto al que tuvimos en nuestros primeros años, en tanto tenía que ver principalmente con un «aprender de las experiencias», como subproducto del curso de la vida. No era un aprendizaje efectuado en forma sistemática. Ocasionalmente, sucedía que podíamos concentrarnos en aprender una destreza específica. Pero había siempre una clara separación entre esos primeros años de vida, en los que nos educábamos, y los años posteriores, que dedicábamos fundamentalmente a trabajar, a criar una familia, a desempeñar un rol en la vida pública, etcétera. En este contexto, el aprendizaje era considerado como una preparación para la vida futura. Se suponía que la vida real venía después de la educación.

Si miramos hacia atrás, nos damos cuenta de que el aprendizaje que la mayoría de nosotros alcanzó en la escuela estaba orientado hacia las destrezas y los contenidos. Nos enseñaron materias diversas: historia, matemáticas, física, gramática, literatura, entre otras. Normalmente, el énfasis se ponía en el contenido que se enseñaba en ese momento y esa materia tenía muy poco que ver con la experiencia de aprendizaje que estábamos viviendo.

Puesto que se suponía que el aprendizaje, como actividad sistemática, tenía término, y como se le consideraba principalmente como un medio para alcanzar aptitudes específicas en la vida, la aptitud para el aprendizaje, rara vez se enseñó. Aprendimos «sobre» muchas cosas, todas muy distintas del aprendizaje mismo. Le escuela no nos enseñó a aprender. Y aunque aprendimos muchas cosas, no siempre aprendimos cómo se aprendía.

Esto, por sí mismo, no era un problema serio en una sociedad organizada sobre la base de una clara separación entre la educación y el trabajo. Sin embargo, uno de los problemas que enfrentamos actualmente, tiene que ver con el hecho que esta separación ya no existe. En el mundo de hoy, simplemente no podemos separar por completo el aprendizaje del trabajo. No hay ninguna etapa en nuestras vidas en que podamos decir que el aprendizaje ha dejado de ser necesario.

En el mundo de hoy sólo aquellos que han aprendido a aprender tienen mejores posibilidades de llevar la delantera y de triunfar. Aprender a aprender es una aptitud que trasciende las destrezas, competencias y contenidos específicos. Es una habilidad genérica que podemos usar independientemente del contenido particular o específico que requiere ser aprendido.

Cuando hablamos de «aprender a aprender», entonces, estamos refiriéndonos a una meta-competencia: la competencia del meta-aprendizaje, que no apunta a la adquisición de información o de destrezas específicas, sino al desarrollo de aquellas habilidades y nociones que permiten aprender cómo se aprende, cuáles factores limitan o posibilitan los aprendizajes, cómo identificarlos y hacerse cargo de ellos, de manera de superar aquellas limitaciones que está a nuestro alcance superar, y desarrollar al máximo aquellas condiciones, talentos, aptitudes que poseemos, muchas veces sin tener conciencia de ello.

Por esto hablamos de meta-competencia. En un primer acercamiento, reconocemos que el aprendizaje es una acción: la acción de aprender. Pero decimos que es una meta-competencia por cuanto se trata de una acción orientada a incrementar nuestra capacidad de acción. Se trata, por lo tanto, de una acción que incide y se dirige a modificar la capacidad de acción que exhibimos en un momento determinado.

En el mundo de hoy no podemos subordinar el aprendizaje a las oportunidades de enseñanza. Tenemos que saber aprender por nosotros mismos: tenemos que saber llegar donde es posible que otros nunca hayan llegado; tenemos que aprender aún cuando no tengamos a mano un maestro que nos enseñe. Para ello, tenemos que aprender a innovar, a buscar por nuestra cuenta modalidades de ser más efectivas y vigentes.

Uno de los grandes méritos de esta competencia genérica que llamamos «aprender a aprender» es precisamente que permite hacer autónomo el aprendizaje, respecto de la enseñanza; que permite concebir el aprendizaje como modalidad de innovación, de generación de nuevas y más efectivas modalidades de desempeño. La enseñanza seguirá cumpliendo un papel importante en un gran número de experiencias de aprendizaje en nuestras vidas. Pero hoy en día no nos es posible, sin que ello nos obligue a pagar un alto precio, restringir nuestro aprendizaje a las oportunidades de enseñanza que se nos presenten. Tenemos que aprender a aprender por nosotros mismos.

¿Cuán buenos somos para aprender? ¿Podemos decir que sabemos cómo diseñar nuestro propio aprendizaje? ¿Qué hacemos en áreas de nuestra vida en las que nos damos cuenta de que somos incompetentes y no sabemos qué acciones emprender? ¿Qué hacemos cuando visualizamos un nuevo dominio de acción que ignorábamos y nos damos cuenta de su importancia para nuestra vida? ¿Qué hacemos cuando nos vemos a nosotros mismos imposibilitados recurrentemente para actuar efectivamente en un mismo dominio (por ejemplo, con nuestras finanzas, con nuestros hijos, con nuestras relaciones, con áreas de nuestro trabajo, con lo que nos gustaría hacer en nuestro tiempo libre, etcétera)? ¿Qué hacemos? ¿Nos preparamos para aprender? ¿Nos limitamos a retirarnos sin hacer nada? ¿Empezamos a culparnos por no saber? ¿Nos caracterizamos como «estúpidos», como «incapaces»? Pero por sobre todo, ¿dónde y cómo podemos desarrollar esta meta-competencia? ¿Qué pasaría si el sistema escolar, además de enseñarnos todo cuanto tradicionalmente nos enseña, nos enseñara también a aprender a aprender? ¿Qué impacto tendría eso en nuestras vidas? ¿Cómo impactaría ello en nuestra formación superior? ¿Cómo afectaría nuestra capacidad de renovación una vez que hemos salido de la universidad? ¿Qué impacto tendría en nuestra capacidad posterior para resolver problemas y superar debilidades?

El interés por aprender a aprender es asunto antiguo. Uno de los pioneros en este tema fue el antropólogo Gregory Bateson. Su novedad no reside en que estemos hablando sobre algo nuevo o sobre algo de lo que la gente no haya hablado anteriormente. Hubo muchos en el pasado que hablaron de la importancia de llegar a saber cómo aprender. Lo que hoy hace la diferencia es el hecho que se ha convertido en un imperativo histórico. Ahora, sin aprender a aprender, nuestro éxito personal y organizacional corre serios peligros. Aprender a aprender ha llegado a ser una ventaja competitiva importante para las organizaciones empresariales. En pocas palabras, no podemos funcionar sin ello.

Sin embargo, existe otra diferencia importante en la forma en que hoy presentamos el tema aprender a aprender, en relación a la forma en que hablábamos de él en el pasado. Hoy estamos en una mejor posición para dedicarnos a este asunto. Al admitir que el proceso de aprendizaje es un proceso lingüístico, esto es, que ocurre en el lenguaje, podemos entonces reconstruir el fenómeno del aprendizaje (como también el proceso que conduce a él y los diferentes obstáculos que encontramos en el camino) en una forma que antes no estaba disponible. La ontología del lenguaje proporciona una oportunidad única para vivir en conformidad con el desafío del imperativo histórico de hoy. Hace del aprender a aprender una competencia asequible.

5. Modalidades de aprendizaje

Si examinamos las distintas formas de aprendizaje que practicamos durante nuestra existencia, nos es posible distinguir diversas modalidades. Hemos insistido en el hecho que cuando hacemos este tipo de distinciones suele existir una cierta dosis de arbitrariedad en los cortes que resultan. Bien podrían haberse hecho otros cortes que habrían arrojado una mirada distinta y quizás posibilidades de acción diferentes. Lo que en último término nos interesa es el poder relativo que se genera con determinado juego de distinciones en comparación con otro. Para lo que nos interesa proponemos una distinción en tres modalidades de aprendizaje:

a. Aprendizaje por imitación

Ya Aristóteles nos advertía que la mayor proporción de aprendizaje que realizan los seres humanos, se realiza por imitación. Disponemos de una capacidad biológica para la imitación que posiblemente no poseen otras especies. Hoy en día se ha descubierto que disponemos en el cerebro de un tipo de células, llamada «neuronas espejo», que nos hacen imitar lo que vemos, de manera casi automática. Nuestros aprendizajes más importantes se realizan de esta manera. Desde el momento de nacer comenzamos a mirar nuestro mundo alrededor, la manera como otros se comportan y muy pronto comenzamos a imitarlos. Es así como, por ejemplo, adquirimos el lenguaje.

Hacemos las cosas de la manera como ellas se hacen en nuestro alrededor. En la mayoría de los casos no nos damos siquiera cuenta que lo estamos haciendo. Muy pronto, cuando observamos lo que hacemos y constatamos que en nuestro entorno ello se hace de manera similar, suponemos que esa es la manera normal de hacerlo, sin darnos cuenta que tal «normalidad» no es sino la forma específica en que eso se realiza en un determinado sistema social. Sólo cuando entramos en un sistema social diferente descubrimos que muchas de nuestras supuestas «normalidades» no eran tales.

Ese aprendizaje por imitación, que tiene una importancia determinante en nuestra niñez, se mantiene por el resto de nuestra existencia. Por lo general se trata de un tipo de aprendizaje de carácter espontáneo y muy fuertemente determinado por las prácticas que provienen del pasado y que el sistema social ha preservado. En la medida que tendemos a imitar a los demás, estamos siempre aprendiendo de ellos, así como ellos también aprenden de nosotros.

Una vez que descubrimos la importancia de este aprendizaje y tomamos conciencia del impacto de nuestros comportamientos en los demás, hablamos de «modelaje» y procuramos hacernos responsables del aprendizaje que generamos en otros. El comportamiento de cada individuo representa un «modelo» de imitación para quienes conviven con él o con ella. Si nuestra autoridad en el sistema social en el que nos desenvolvemos es mayor, por lo general mayor será también el impacto que tendremos en el aprendizaje de los demás.

b. Aprendizaje por enseñanza

Hay otros aprendizajes que para alcanzarse requiere apoyarse en algo más que la imitación: requieren de un proceso específico que asegure la adquisición de determinadas competencias y conocimientos, los que no suelen ser aprendidos con sólo descansar en nuestro poder de imitación. Hablamos entonces de aprendizaje por enseñanza. Sus modalidades predominantes poseen algunas características que es importante precisar. Las observamos, por ejemplo, en el sistema educacional.

Una primera característica es el hecho que el sistema social predefine los contenidos de aprendizajes que deben ser impartidos. Este es un rasgo importante pues eleva, en modalidades diversas, al sistema social la definición de lo que debe ser enseñado y se establecen diversos mecanismos para que los individuos, los miembros del sistema social, se sometan a estos procesos particulares de aprendizaje. Los sistemas sociales, decíamos, pueden ser diversos. Puede tratarse de la sociedad como conjunto, en cuyo caso los gobiernos suelen asumir una importante responsabilidad en garantizar que estos procesos se cumplan, o bien puede tratarse de subsistemas, al interior del sistema social más amplio, como acontece por ejemplo al interior de determinados oficios o profesiones.

Una segunda característica, del aprendizaje por enseñanza es su manifiesta asimetría. Por lo general toda experiencia de aprendizaje reconoce una cierta asimetría entre quien se presume que sabe y quien se presume que no sabe. Pero en el aprendizaje por enseñanza esta asimetría adquiere un aspecto formal e introduce elementos de jerarquía, autoridad y subordinación que parecieran serle constitutivos. Ello no descarta que tales elementos sean muchas veces atenuados, en función de estrategias pedagógicas más afectivas. Pero, por lo general, nunca desaparecen del todo y siempre cabe reconocer un status diferencial entre quién es el maestro, el profesor, y quien es el alumno.

Decíamos que el aprendizaje por enseñanza suele predefinir los contenidos de aprendizaje. La capacidad de elección del alumno es por lo tanto limitada. Hay determinados contenidos que el sistema social define como obligatorios y que se suelen impartir en el sistema escolar: tanto en el nivel básico como en el medio. En la medida que los alumnos avanzan por el sistema, muchas veces se les permite algunos grados de libertad y pueden escoger algunos de sus ramos. Otros, sin embargo, se mantienen como obligatorios. Al terminarse la educación media, los alumnos deben escoger «carreras» o «pistas de formación» al interior de un abanico de opciones que le proporciona el mismo sistema social a partir de lo que éste define como el tipo de especialidades requeridas para el conjunto del sistema. Nuevamente se abren algunas opciones obligatorias y otras electivas. Todo esto nos muestra que el aprendizaje por enseñanza, a este nivel, se caracteriza por una dosis relativa –y posiblemente necesaria– de rigidez.

Es también interesante examinar la relación profesor-alumno que caracteriza esta modalidad de aprendizaje y los procesos de enseñanza-aprendizaje que tienen lugar entre ellos. Como decíamos previamente, un rasgo importante de esta relación es su asimetría, aunque los grados de asimetría sean variables. Otro elemento importante a considerar en esta relación es el hecho que este tipo de aprendizaje se sustenta en el fenómeno de la instrucción. El maestro instruye al alumno en lo que se ha predefinido que éste debe aprender. La instrucción es muy diferente de la imitación. Se trata de un proceso conversacional orientado a generar en el alumno el aprendizaje esperado y en cual el maestro es el agente responsable de asegurar dicho resultado. Nuevamente la instrucción podrá ser más o menos vertical, más propositiva o más indagativa, puede conferirle al alumno grados variables de responsabilidad con su propio proceso de aprendizaje, pero, por definición hace al maestro el principal responsable del resultado de aprendizaje.

c. La opción del aprendizaje autónomo

Queremos destacar una tercera opción que es aquella que consideramos que se hace cada vez más importante en el mundo de hoy. Ella no excluye a las dos anteriores y en muchos casos las integra como parte de sí misma. Es más, consideramos que ésta es una opción para la cual el propio sistema educacional debiera prepararnos. De hecho esta debiera ser una de sus tareas prioritarias. Se trata de aquella opción en la que aparece con mayor fuerza el reconocimiento de la importancia de la meta-competencia del aprender a aprender. Nos referimos a la opción del aprendizaje autónomo o auto-aprendizaje.

Lo que define a esta opción es el hecho que ni suele ocurrir de manera espontánea, tal como ocurren muchos de nuestros aprendizajes por imitación durante nuestros primeros años, ni que descansa en un proceso cuya responsabilidad recae en un tercero, como suele acontecer con el aprendizaje por enseñanza en el que el individuo aprendiente deja en manos de otra persona o del sistema la definición de los contenidos que le serán enseñados y la conducción del proceso que le genera el aprendizaje deseado. En este caso, el sujeto aprendiente se convierte en el agente principal de su propio sujeto de aprendizaje y, como tal, es el mismo quién define lo que requiere aprender y es también el mismo quien diseña sus propias estrategias de aprendizaje.

Como tal, escoge los contenidos de su aprendizaje, selecciona las fuentes del mismo, determina los tiempos del proceso de aprendizaje, se hace cargo de disolver los obstáculos que puedan interponerse en él y se hace él mismo responsable de los resultados de dicho proceso. Para ello dispone de diferentes alternativas que lo obligan muchas veces a combinar tipos de aprendizajes muy distintos. Puede recurrir al aprendizaje por imitación y, por ejemplo, seleccionar a una persona que le sirve de modelo, que hace las veces de «benchmarking», de manera de poder hacer lo que tal persona hace y generar los resultados que ella obtiene y que a él, el sujeto de aprendizaje, le son esquivos. Preguntas claves a este respecto son: ¿qué hace esa persona que yo no hago?, ¿qué hago yo que esa persona no hace? Y ¿cómo llegar al tipo de desempeño que ese otro exhibe?

También puede recurrir al aprendizaje por enseñanza y entrar en un proceso en el que otro le sirva de maestro y lo instruya en lo que debe hacer y cómo debe hacerlo. Podrá también diseñar un programa de formación a través un proceso de lectura a través del cual sea introducido en dominios de competencias y conocimientos que en ese momento no posee. Los medios para hacerlo son múltiples y variables. De entre todos ellos nos interesa destacar en forma particular dos procedimientos.

El primero es lo que llamamos «el ciclo de la reflexión» y sobre el cual nos hemos explayado en algunos trabajos que utilizamos en nuestros programas. Se trata de una modalidad de hacer uso del Modelo OSAR como forma de detectar las insuficiencias que se expresan en nuestros resultados de manera de generar aprendizaje y corregir tales insuficiencias.

El ciclo de la reflexión consiste en cuatro fases:

- evaluación de los resultados obtenidos,
- diseño de nuevas acciones capaces de modificar los resultados,
- viabilización (aprendizaje y negociación) de las mismas y
- ejecución de las nuevas acciones.

Éstas últimas requerirán, a su vez, ser evaluadas, tal como lo hicimos al inicio, con lo cual el ciclo se vuelva a repetir una y otra vez. El ciclo de la reflexión es una herramienta ontológica fundamental para sobrevivir exitosamente en el mundo de hoy.

Cada fase del ciclo requiere un conjunto de competencias específicas, que no es del caso detallar en esta oportunidad. El ciclo de la reflexión en su conjunto convierte a quienes están volcados a la acción en «practicantes reflexivos», desarrollando precisamente en ellos capacidad de aprendizaje autónomo. Ello es particularmente importante en quienes han entrado de lleno en el mundo del trabajo y deben luchar contra su propia obsolescencia.

El segundo procedimiento es el coaching. Éste tampoco es un tema en el que podamos ofrecer una descripción acabada. Lo que nos interesa destacar en esta oportunidad es que el coaching nos proporciona una experiencia de aprendizaje cuando no logramos determinar cómo producir un determinado resultado. Lo que hace el coach es detectar aquello que nos impide observar el camino que nos conduce a un resultado deseado y ayudarnos a disolver los obstáculos que nos impiden tomar las acciones que nos permiten lograrlo. El coach nos ayuda a observar lo que no vemos y a tomar las acciones que no podemos ejecutar, de manera de asegurar el resultado que deseamos. Lo interesante de esta alternativa es precisamente el hecho que es el coachee, el aprendiz, quien define los objetivos del aprendizaje. El coach sólo está allí para facilitar que él o ella logren lo que desean. Se trata, por lo tanto, de una importante alternativa al interior de la opción del aprendizaje autónomo. El coach no es sino un facilitador del compromiso de otro con su propio devenir.

Si el coaching es una herramienta que nos permite alcanzar resultados que deseamos pero que nos son esquivos, cabe imaginar la importancia que las competencias de coaching logran alcanzar en múltiples dominios de la actividad humana. No estamos hablando necesariamente de realizar interacciones propiamente de coaching, sino de algo menor: tan solo de utilizar algunas de las competencias que esta práctica requiere. ¿Qué pasaría si un maestro utilizara las competencias de un coach en el diseño que su práctica docente? ¿Qué pasaría si un gerente, el jefe de un equipo de trabajo, utilizara estas mismas competencias en su gestión? ¿Qué pasaría si utilizáramos estas competencias para mejorar la crianza de nuestros hijos o para mejorar la calidad de nuestras relaciones personales? Ello es precisamente lo que muchas personas buscan cuando toman nuestros programas.

6. Hacia una fenomenología del aprendizaje

Hace ya más de 20 años, mientras me desempeñaba en el campo de la investigación en educación, me hacía una pregunta que me ha acompañado desde entonces. Ella asumía distintas modalidades pero todas ellas se apuntaban en la misma dirección. Cuando alguien dice «aprendí», ¿qué ha pasado? ¿Qué es aquello de requiere haber sucedido para que digamos «tal persona aprendió»? ¿Cuál es la «experiencia» necesaria que nos permite hablar de aprendizaje? ¿Qué designa esta distinción? En otras palabras, ¿de qué estamos hablando cuando hablamos de aprendizaje?

A partir de lo anterior, invitamos al lector a unirse a nosotros para pensar en forma conjunta acerca de la experiencia de aprender. Vamos a incursionar en el aprendizaje de un modo fenomenológico. La fenomenología es un método de investigación que se basa en separar un fenómeno de sus explicaciones, otorgando gran prioridad al fenómeno, y a la vez, suspendiendo el juicio ofrecido por las teorías que hablan acerca de él. Su operación metodológica principal es lo que el filósofo alemán Edmund Husserl llamó, usando una palabra griega, epojé.

El método fenomenológico consiste en examinar el fenómeno, poniendo «entre paréntesis» las interpretaciones existentes sobre él. Cuando hacemos una investigación fenomenológica, no nos ponemos a leer lo que los demás puedan haber dicho sobre el fenómeno que vamos a explorar. Nos concentramos y confiamos en aquellas experiencias particulares –experiencias que hemos tenido nosotros o por las que pasan otros– en las que el fenómeno se hace presente. Experiencias a partir de las cuales la palabra aprendizaje pareciera surgir de manera casi espontánea de nuestra boca.

7. ¿Qué significa entonces aprender?

Cuando decimos que alguien aprendió algo, ¿qué estamos diciendo? Para responder a esta pregunta iremos avanzando progresivamente. En un «primer acercamiento», tomaremos las experiencias más concretas, quizás las más cotidianas y simples, y procuraremos a partir de ellas generar una primera interpretación. A partir de ella, nos preguntaremos si ella logra dar cuenta del conjunto de las experiencias de aprendizaje que somos capaces de imaginar.

Si nuestra interpretación inicial es adecuada, debiéramos ser capaces de hacer sentido de todos aquellos casos que se producen en nuestro alrededor en los que el fenómeno del aprendizaje aparece estar presente. Es más, deberíamos ser capaces de ir incluso más lejos y constatar que, a partir de tal interpretación, estamos en condiciones no sólo de generar aprendizaje sino también de mejorar los resultados de aprendizaje que tienen lugar en aquellas prácticas especificas de aprendizaje que se producen en nuestro entorno.

Pero es muy posible que descubramos que nuestra primera incursión produce una interpretación que no es lo suficientemente comprensiva y que deja fuera algunas experiencias concretas de aprendizaje. En otras palabras, que dando cuenta de algunas experiencias de aprendizaje, tenemos dificultades para dar cuenta de otras. De suceder eso –y como veremos, en este caso va a suceder– ello nos obliga a realizar lo que llamamos un «segundo acercamiento». Esto implica repetir el mismo procedimiento dirigido esta vez, de manera específica, a aquellas experiencias que en el «primer acercamiento» quedaron excluidas. Ello muy posiblemente nos obligará a ampliar la primera interpretación, de manera de darle cabida a las conclusiones que resulten del «segundo acercamiento».

a. Primer acercamiento

Cuando decimos que alguien aprendió, ¿qué debe haber sucedido? ¿Qué está implicado en ello? Pero vamos muy rápido. La fenomenología se realiza a fuego lento. Es un ejerció reflexivo que requiere de mucha paciencia. Disminuyamos por lo tanto el paso. Cualquier precipitación nos puede conducir a no observar algo importante.

Supongamos que alguien dice «Tomás aprendió». ¿Qué es lo primero que se nos presenta cuando esa persona dice eso. Lo primero que se nos presenta es el hecho que hay alguien observando algo, algo que lo lleva a decir que «Tomás aprendió». Hay en consecuencia un observador que al observar algo (ya luego nos preguntaremos que requiere ser ese «algo») dice «Tomás aprendió». Lo primero que emerge es un observador. Como dicen Maturana y Varela, todo lo dicho es siempre dicho por alguien y ese alguien es un observador particular. Toda palabra siempre remite a un observador particular, a alguien que observa el acontecer de una particular manera. Por lo tanto, el aprendizaje emerge como tal, como aprendizaje, para un observador particular.

Así como hay un observador, el juicio de aprendizaje también requiere de alguien o de algo observado. Ese mismo, alguien puede ser el propio observador que se observa a sí mismo y dice «¡Aprendí!». Pero trabajemos con un ente externo y preguntémonos ¿de qué tipo de ente se trata? Obviamente hablamos de aprendizaje observando seres humanos. Pero, ¿se restringe el fenómeno a los seres humanos? Sabemos también que los animales aprenden, que podemos entrenarlos precisamente para que aprendan. Pero no sólo los animales, los sistemas sociales también aprenden. Un determinado equipo aprende. Lo vemos con mucha facilidad en los deportes. Una determinada comunidad también aprende. Incluso se trata de algo que podemos decir de ciertas máquinas que, disponiendo de mecanismos de retroalimentación, logran corregir su comportamiento y nos conducen a decir que aprendieron. El observador, por lo tanto, puede estar observando muy distintas entidades.

¿Pero que es aquello que ese observador hace cuando dice «Tomás aprendió»? ¿Qué tipo de acción está ejecutando? Nuestra respuesta: es un juicio, está emitiendo un juicio. «Tomás aprendió» es, en consecuencia, un juicio emitido por un particular observador. Esto es importante pues, siendo un juicio, ello nos confronta con un conjunto de consideraciones y preguntas adicionales. Por ser un juicio, sabemos, por ejemplo, que es discrepable. Otros observadores podrían no estar de acuerdo con que «Tomás aprendió».

El saber que el aprendizaje es un juicio y que los juicios son un fenómeno declarativo, nos lleva también a preguntarnos por la autoridad que le conferimos a la persona que emite ese juicio. ¿Es el maestro de Tomás quién dice que aprendió? ¿O es sólo un solo un amigo? ¿O es acaso el propio Tomás que lo está diciendo? ¿O se trata de la hermanita chica de Tomás? Es evidente que le otorgaremos más a menos peso a ese juicio dependiendo de la autoridad que le confiramos a la persona que lo emite. En el contexto de la escuela, le otorgamos al maestro la autoridad para emitir ese juicio. Pero muchas veces le conferimos autoridad a varias personas para emitir juicios de aprendizaje y bien puede suceder que ellas discrepen entre sí.

Siendo un juicio, podemos preguntarnos también por el fundamento que tal juicio tiene. Sabemos que ello nos conduce a hacernos fundamentalmente cuatro preguntas:

¿Cuál es la inquietud a partir de la cual se hace ese juicio?

¿En qué dominio se sitúa el juicio?

¿Cuáles son los estándares a partir de los cuales se le hace?

Y, por último, ¿cuáles son las afirmaciones –acciones, eventos o acontecimientos– que sustentan el juicio?

Digamos que la inquietud es la de conformar un equipo que represente a la escuela en alguna competencia escolar. El dominio es el tenis: «Tomás aprendió a jugar tenis». El juicio que «Tomás aprendió» no podemos extenderlo a otros dominios. En este caso, está acotado al dominio del tenis. ¿Cuáles son los estándares? Que puede jugar partidos de tenis, respetando las reglas del tenis, y ganar algunos de ellos. ¿Y cuáles son las afirmaciones? Que lo hemos visto enfrentarse a Juan, a Carlos, a Blanca, a Mario, a Carmen y a Pepe y que a cuatro de ellos les ganó el partido.

Todo eso está muy bien. Pero todavía no logramos dilucidar por qué ese observador, que es su entrenador, dice que Tomás «aprendió» a jugar tenis. Bien podría decir que Tomás juega tenis. ¿Por qué dice «aprendió»? ¿Qué es aquello que requiere estar presente para que el juicio sea un juicio de aprendizaje y no simplemente un juicio de desempeño? Hemos llegado a las preguntas claves para dilucidar el fenómeno del aprendizaje. ¿Qué debe haber sucedido en aquellas situaciones concretas que observamos para estar en condiciones de caracterizarlas con el juicio de aprendizaje?

Lo primero que observamos es que el juicio de aprendizaje requiere situarse en la temporalidad. Para decir que alguien aprendió requerimos estar comparando el presente con un determinado momento del pasado. Al pasado lo llamaremos el momento A, al presente lo llamamos el momento B. Para que digamos que alguien aprendió algo requiere exhibirse en el momento B, algo que no se exhibía en el momento A. El aprendizaje es un fenómeno que tiene lugar en el tiempo y en el que se compara, se evalúan dos momentos distintos: A y B.

¿Qué es aquello que requiere haber sucedido para poder decir que en el presente (en el momento B) una determinada persona demuestra haber aprendido. Tiene que ser capaz de exhibir una determinada capacidad de acción efectiva que no lograba exhibir en el pasado (momento A). Sin que ello suceda, no podemos hablar de aprendizaje. El aprendizaje, por lo tanto, es un juicio, emitido por un observador, sobre la adquisición en el tiempo de capacidad de acción efectiva. Al hablar de capacidad de acción efectiva estamos hablando de poder.

Esa persona puede hacer en el presente lo que no podía hacer en el pasado. La insistencia que Nietzsche nos hace sobre la voluntad de poder, no es sino la expresión de una voluntad de aprendizaje de los seres humanos, de una voluntad de auto-transformación asociada muchas veces también al incremento de sus capacidad para transformar el mundo.

¿Qué es la efectividad? ¿Cómo la detectamos? Cuando hablamos de efectividad, nuevamente, ¿qué estamos haciendo? Estas son preguntas cruciales. Sin dilucidarlas no podremos entender lo que es el aprendizaje. La efectividad es también un juicio y como tal le corresponden todas las propiedades de los juicios. Se trata, sin embargo, de un juicio en el que su relatividad –rasgo de todo juicio– es particularmente notoria. Lo que para un observador puede parecerle efectivo, para otro, que mira la situación desde otra perspectiva, lo mismo pudiera ser altamente inefectivo. El juicio de efectividad evalúa la forma como una determinada acción o un determinado procedimiento se hace o no se hace cargo de nuestras inquietudes al generar determinados resultados.

La efectividad, en otras palabras, sólo se determina en función de los resultados que generan determinadas acciones. Si ciertas acciones producen determinados resultados, resultados que se hacen cargo de nuestras inquietudes, diremos que tales acciones fueron efectivas. Si no se hacen cargo de nuestras inquietudes (algunos hablarán de objetivos, otros de necesidades, etcétera), diremos que esa acción no fue efectiva. Se trata, por lo tanto, de un rasgo que le atribuimos a nuestro actuar pero que se define al relacionar las inquietudes propias del observador que somos, con los resultados que generan nuestras acciones. La efectividad es siempre relativa al observador.

En último término se trata del nivel de satisfacción que logra generar una determinada acción. Y toda satisfacción es siempre la resultante de una ecuación que sitúa un resultado en relación a las inquietudes de un particular observador. Ello nos confronta de otras maneras con el carácter siempre relativo del criterio de la efectividad. Esta relatividad sólo aparentemente se disuelve cuando un conjunto de observadores diferentes expresan un consenso en torno a las mismas inquietudes y sus estándares de evaluación de los resultados. Esta relatividad se suele expresar al interior de un mismo individuo. Hay resultados que producen satisfacción en un particular dominio pero que pueden generar insatisfacciones en otros. Lo que consideramos efectivo en un determinado momento puede mostrársenos como inefectivo en un momento posterior.

Ello nos lleva a examinar el criterio de efectividad cuando nos situamos en el eje de la temporalidad. Los estándares para definir la efectividad de un determinado comportamiento o desempeño suelen tener una alta fluctuación en el tiempo. Aquello que lograba satisfacernos en un determinado momento, luego deja de satisfacernos en la medida que surgen nuevos productos y servicios de desempeños superiores. Hace 20 años atrás, en 1988, tuve un computador Compaq de 10 megas, pesaba 10 kilos y consideraba que éste era sobresalientemente efectivo. Hoy tengo uno de 80 gigas, que pesa dos kilos, hace infinitas otras cosas que el otro no hacía, las hace en una fracción del tiempo que tomaba aquel, y no hablaría de la particular efectividad del computador que dispongo. Con el tiempo, los estándares de efectividad de los computadores se han transformado por completo al punto que resulta casi imposible encontrar en alguna parte alguno de esos computadores de antaño. Los cambios en los estándares de efectividad los hicieron desaparecer.

¿Es la efectividad suficiente para hablar de aprendizaje? ¿No hay acaso algo más en los estándares requeridos para poder convertir el juicio de efectividad en juicio de aprendizaje? Dicho en otras palabras, ¿basta que una persona sea, por ejemplo, efectiva una vez y de cualquier forma para decir que aprendió? Evidentemente no. La capacidad de acción que requiere ser observada para poder hablar de aprendizaje, requiere ser no sólo efectiva, sino también recurrente y autónoma. Tomemos cada uno de estos términos por separado. No basta que una persona algo una sola vez para poder sostener que aprendió. Requiere demostrar que tiene la capacidad de hacerlo una y otra vez. De lo contrario, pudiendo decir que lo hizo una vez, no podemos todavía decir que aprendió. La acción requiere no sólo ser efectiva, sino también recurrente. Tiene que poder repetirla en el tiempo. Tiene que haber «incorporado» esa capacidad de acción y requiere ser capaz de conservarla.

Examinemos ahora el requisito de la autonomía. ¿Diríamos que alguien aprendió a hacer algo si cada vez que lo hace requiere de la ayuda de otro? ¿Diríamos que aprendió si no logra exhibir que puede hacerlo por sí misma? Evidentemente que no. Ello implica que esa capacidad de acción efectiva requiere ser autónoma lo que equivale a decir que puede exhibirse sin que otros le presten ayuda, que se trata de una capacidad de acción hecha propia.

¿Nos falta algo para que el juicio de aprendizaje pueda ser emitido? Creemos que no; creemos que hemos identificado el conjunto de los factores que son normalmente necesarios para sostener que una determinada persona aprendió. Podemos por lo tanto concluir que el aprendizaje es un juicio efectuado por un determinado observador que, al observar el actuar de una determinada entidad (entidad que puede ser él mismo), da cuenta de la adquisición en el tiempo de una capacidad para actuar de manera efectiva, recurrente y autónoma. Si ello se da, tenemos el fenómeno que designamos con la distinción de aprendizaje.

b. Segundo acercamiento: la ampliación del criterio de la efectividad

Disponemos entonces de una primera interpretación sobre el fenómeno del aprendizaje. La pregunta que ahora nos hacemos es: ¿es ella suficiente? Con esta interpretación, ¿logramos dar cuenta del conjunto de los diversos fenómenos de aprendizaje? ¿O queda acaso alguno para el cual esta interpretación demuestra ser inadecuada? Nos parece que ésta es una interpretación adecuada cuando se trata de la adquisición de habilidades. Nos sirve, por ejemplo, para hablar de la acción de conducir un vehículo, de resolver problemas de matemáticas, de hacer uso de determinas tecnologías de información, de aprender idiomas, etcétera. Pero la pregunta sigue siendo, ¿cubre aquello todos los dominios en los que identificamos fenómenos de aprendizaje? Muchas veces nuestras interpretaciones resultan restrictivas precisamente porque no son capaces de dar suficiente cobertura a todos los dominios en los que se manifiesta un particular fenómeno.

¿Hay acaso aprendizajes que no necesariamente se expresan en la capacidad de acción? Esta es una pregunta de la mayor importancia frente a la cual podríamos dar diversas respuestas. Tomemos un primer camino. Si alguien sabe que ayer llovió en la ciudad vecina, ¿qué tiene que ver eso con su capacidad de acción? Si alguien sabe cuántos periódicos se vendieron el 3 de octubre de 1926, ¿no sucede lo mismo? O cuando alguien aprende matemáticas, ¿dónde está la acción?

Para contestar mejor estas preguntas, es conveniente dar vuelta el problema y preguntarnos, en cada uno de esos casos: ¿cómo podemos sostener que alguien aprendió algo? ¿En qué fundamos el juicio de aprendizaje? Y vale responder: en el hecho que si les preguntamos, esas personas nos darán la respuesta que consideramos adecuada. Y, desde nuestra perspectiva —en la que entendemos que el hablar es actuar—, responder adecuadamente es actuar de manera efectiva. Es tener la competencia de desenvolverse en forma correcta en el juego de lenguaje que abrimos con la pregunta que hacemos. En la escuela, el maestro suele requerir de estas respuestas para determinar si hubo o no hubo aprendizaje.

Pero, ¿es esta primera interpretación plenamente satisfactoria? Por desgracia, sólo a medias. Posiblemente le damos satisfacción a un observador externo que requiere poder fundar el juicio de aprendizaje que tuvo o no tuvo otra persona. Como lo recoge el consabido pragmatismo anglosajón, «the proof of the pie is in the eating». Pero esta interpretación no siempre logra darle sentido a múltiples experiencias de aprendizaje para el propio individuo que está aprendiendo. De allí que quedemos con la sensación que algo falta en ella.

¿Cuál es el problema? Busquemos otras experiencias de aprendizaje. Cuando invertimos tiempo y esfuerzo en formarnos, por ejemplo, en las artes. Cuando aprendemos determinados poemas, cuando nos sumergimos en la literatura, cuando buscamos desarrollar en una determinada sensibilidad musical y nos introducimos en la música clásica, ¿por qué lo hacemos? ¿Qué estamos buscando? ¿Es acaso el poder responder preguntas en esos dominios particulares? Cuando Jesús le enseña a sus apóstoles a rezar el Padre Nuestro, ¿es acaso efectividad lo que buscaba? Frente a esto tenemos al menos dos respuestas posibles. La primera consiste en reconocer que Jesús sólo podía decir que sus apóstoles aprendieron cuando comprobaba que ellos eran capaces de rezar de la manera como él lo hacía. Mientras no lograba verificar que ellos podían hacerlo, no podía fundadamente emitir el juicio que aprendieron.

El criterio de la efectividad, por tanto, es necesario emitir el juicio de aprendizaje. Sin embargo, ello es diferente a decir que la efectividad da cuenta de la inquietud que siempre guía el interés de aprendizaje de parte del aprendiz. Ello nos obliga, en un primer momento, a separar el papel de la efectividad como requisito de la fundamentación del juicio de aprendizaje, de la efectividad como la inquietud que guía en el aprendiz su compromiso por aprender. Por lo tanto, si bien el aprendiz muchas veces aprende para lograr ser efectivo en un particular dominio, ello no siempre logra dar cuenta lo que el aprendiz persigue en múltiples experiencias de aprendizaje.

¿Qué otras inquietudes, más allá de la efectividad, nos conducen a aprender? Examinemos una experiencia que me relatara Celina Borja, una de mis alumnas. Celina es trabajadora social y se desempeña en Buenos Aires trabajando, entre otras actividades, con niños de muy escasos recursos. Muchos de ellos han sido rescatados del ocio y la peligrosidad de la calle. Viendo que uno de ellos, un niño pequeñito, muy hábil y despierto, invertía mucho tiempo en seguir los partidos de fútbol y en aprender cuanto podía sobre determinados equipos, lo llama y le pregunta, «¿Y para que te sirve todo eso? ¿No crees que pierdes el tiempo dedicándole tantas horas al fútbol?» El niño, desconcertado, la mira a los ojos y moviendo sus manos con los dedos apretados le dice, «La pasión, Celina; ¡la pasión! ¿No crees que es importante la pasión?» Y nosotros nos preguntamos con él, ¿no es esto algo importante?

Esta anécdota nos muestra que hay resultados del aprendizaje que no logran medirse desde un pragmatismo estrecho que sólo mira y evalúa la efectividad de nuestras acciones. El sentido del aprendizaje no sólo puede establecerse por la efectividad que nos provee en nuestro actuar, sino también por el sentido que aporta a nuestras vidas. En otras palabras, el sentido del aprendizaje muchas veces se relaciona con el sentido de la vida. Pero, ¿es esto último del todo ajeno a la efectividad? Quizás no. Pero ello, al menos, nos obliga a ampliar la noción de efectividad y la situarla más allá de nuestra capacidad de desempeño en dominios específicos; llevarla más allá de determinados dominios concretos de acción y situarla en el dominio más amplio de la existencia. Al hacerlo, pasamos de un pragmatismo estrecho y un pragmatismo asociado con una visión más amplia de la vida.

Muchas veces lo que buscan determinados aprendizajes es tan sólo alterar nuestra forma de ver las cosas, nuestra capacidad de conferir sentido y de articular nuevas narrativas sobre el vivir. Éstos son los resultados esperados. A menudo se trata de buscar como resultado tan sólo modificar el observador que hasta ahora hemos sido y proporcionarle una mirada diferente. ¿Surgirán de ello nuevas acciones? Posiblemente; pero ello no siempre es necesario ni es aquello que en un primer momento buscamos. Lo que buscamos, como resultado, es primordialmente incrementar nuestro sentido de vida. Perseguimos resultados que aspiran a lo que Foucault llamara «el cuidado del Yo» y que nosotros preferimos designar como «el cultivo del alma». «La pasión, Celina». La satisfacción en el vivir. Quizás, tan sólo, una mayor alegría, una esperanza mayor.

Los biólogos lo han sabido siempre. El aprendizaje es una capacidad de la que disponen muchos seres vivos para asegurar la sobrevivencia y proyectar la vida. No hay otro criterio superior para evaluar el aprendizaje que le propia vida. A un primer nivel, vivir es saber y saber es vivir. Ello pareciera ser suficiente para gran parte del reino animal.

Sin embargo, ello no es siempre así para los seres humanos. No nos basta con saber sobrevivir. No nos basta con poder reproducir todos los días nuestra capacidad biológica de la vida. Tenemos la opción de poder vivir de maneras muy distintas y no todas ellas nos conducen a una vida con sentido. Así como podemos llevar vidas miserables, podemos también llevar vidas expansivas, cargadas de sentido y de satisfacción. Y podemos incidir en definir el tipo de vida que tenemos. A diferencia del resto de los animales, los seres humanos somos seres éticos y ello implica en último término que somos responsables, lo asumamos o no, de nuestras propias vidas. De alguna forma intuimos que al términos de nuestras vidas todos nos someteremos al «juicio final» que determina si fuimos o no capaces de vivir bien. La vida para los seres humanos es un obsequio que nos obliga a responder por ella. Poca cosas son más importantes para responder a este obligación, a este imperativo ético, que nuestra capacidad de aprendizaje.

En un segundo acercamiento, por lo tanto, descubrimos que el criterio supremo para la evaluación del aprendizaje es el sentido de vida, es la satisfacción con lo que hacemos y lo que somos. Es en último término la felicidad. ¿Vago? ¿Etéreo? Sin duda, pues cada uno debe determinar dónde buscarla. Pero cuando la hallamos nadie puede arrebatarnos la seguridad de que ese es precisamente el lugar que añorábamos. Todo lo demás se mide en último término por éste criterio.

La efectividad, el aprendizaje y el poder son sólo recursos, instrumentos, para asegurarnos la felicidad. Nada nos complace más que cuando iniciamos algunos de nuestros programas y le preguntamos a nuestros alumnos por qué se han inscritos en él que nos respondan diciendo, «Queremos ser felices», «Vengo tras la búsqueda de una felicidad que me ha sido esquiva», «Quiero aprender a vivir con menos sufrimiento». Al escuchar esas palabras, tenemos la impresión que estamos alineados tras los mismos objetivos. Eso es precisamente lo que nosotros procuraremos que ellos aprendan. Que cada uno encuentre su propio camino hacia un mayor sentido de vida. Como nos señala Spinoza, cuando se apoderan de nosotros las pasiones tristes, nuestro ser está en cautiverio, está aprisionado, y es responsabilidad de cada uno ayudarlo a salir de allí. Nuestro ser requiere entonces ser liberado y para ello es preciso hacerlo fluir.

8. El aprendizaje como manifestación de la competencia ontológica de la escucha

Una tesis principal del discurso de la ontología del lenguaje es el reconocimiento del carácter activo y transformador del lenguaje. Ésta la hemos desarrollado ampliamente en múltiples otras obras. Ello implica sacar el lenguaje de aquella interpretación tradicional restrictiva que le confiere un rol pasivo y descriptivo y que lo describe en términos de su capacidad de almacenamiento y transmisión de conocimientos e información. Para esta interpretación tradicional el lenguaje «da cuenta» de lo que percibimos, pensamos y sentimos y, por lo tanto, se apega a lo ya existente. Hemos bautizado esta interpretación como una interpretación «contable». Toda comprensión del lenguaje como una herramienta de expresión y comunicación es tributaria de esta interpretación tradicional.

A ella hemos opuesto una interpretación que hemos caracterizado como «generativa» y que reconoce el poder mágico y transformador de la palabra. El lenguaje, sostenemos, no sólo describe pasivamente lo que ya existe. Hablar es actuar y ese actuar conlleva la posibilidad que ese actuar haga que pasen determinadas cosas, cosas que no hubiesen sucedido si no hubiésemos hablado. Sin negar la capacidad del lenguaje para almacenar y transmitir información, desde esta nueva interpretación el énfasis se coloca en la capacidad que posee el lenguaje para generar nuevas realidades, para dar existencia a situaciones que antes de ese hablar, no existían. Con el lenguaje, sostenemos, transformamos el mundo y con él también nos transformamos a nosotros mismos.

Previamente hemos señalado que la capacidad de transformación de nosotros mismos corresponde, por lo general, con lo que llamamos aprendizaje. Se trata de expresiones muchas veces equivalentes. Todo aprendizaje representa una transformación de uno mismo. Sin embargo, no toda de transformación de uno mismo es necesariamente aprendizaje. Podemos alterar, por ejemplo, algunos aspectos de nuestra fisonomía, de nuestra apariencia física, de nuestra imagen externa frente a los demás, y no llamaríamos a esos cambios aprendizajes. El aprendizaje implica una transformación de nuestra capacidad de acción o de observación. Implica alterar la manera como me comporto o como hago sentido de lo que sucede. Estos son los dominios que requieren estar involucrados para que podamos hablar de aprendizaje. Ello nos conduce a un segundo postulado del discurso de la ontología del lenguaje que sostiene que tales cambios, al nivel del observador y de la acción, modifican el ser que es cada uno. El aprendizaje, por lo tanto, conlleva una transformación del alma, de la particular forma de ser de cada uno.

Nos interesa vincular el fenómeno del aprendizaje con nuestra interpretación del lenguaje que destaca su carácter activo y su poder transformador y generativo. Ello por lo general nos hace poner una especial atención en el dominio del habla y en los diferentes fenómenos del habla que lo constituyen. Sin embargo, el sentido último del habla reside en la escucha. Hablamos para ser escuchados. La escucha, lo reiteramos una y otra vez, valida el habla y le sirve como el criterio más importante para determinar su calidad, su propia efectividad. Ello implica que, no sólo no podemos separar de manera radical habla y escucha, sino que requerimos subordinar el habla a la escucha.

Como lo hemos desarrollado ampliamente en otro lugar, la competencia de la escucha se sustenta en una doble apertura. Para que la escucha tenga lugar, requerimos abrirnos de dos maneras distintas, La primera implica una apertura a la comprensión de un otro diferente, de un individuo que interpreta el acontecer de manera distinta y que actúa sobre ese acontecer de acuerdo al tipo de observador que él o ella es, dadas sus interpretaciones de él. Mientras estemos en encerrados en nosotros mismos, en nuestras interpretaciones y en nuestras formas de actuar y comportarnos, difícilmente podremos escuchar al otro.

Hemos señalado que para producir esta primera apertura es preciso instaurar en cada uno de nosotros una disposición, una determinada actitud hacia el otro, una particular emocionalidad. Nos referimos al respeto por nuestras diferencias. Ser diferentes no es razón para invalidarnos, para descalificarnos, para villanizarnos ni para demonizarnos, que es precisamente lo que habitualmente hacemos. El respeto, para nosotros, es la aceptación del otro como diferente, legítimo y autónomo. Aceptamos que somos diferentes. No luchamos por abolir toda diferencia. Aceptamos que nuestras diferencias son legítimas y, por lo tanto, ellas por sí mismas no comprometen el valor que nos asignamos como personas. Y aceptamos también que cada uno busca actuar de acuerdo a como piensa, de acuerdo a sus propias interpretaciones. Somos seres autónomos.

Éste ha sido uno de los desafíos más difíciles que hasta ahora ha enfrentado nuestra especie. Por lo general no tenemos demasiada dificultad para entender al otro mientras éste sea similar a nosotros y mientras no presente diferencias muy importantes en relación con nuestra manera de observar y de actuar. Pero históricamente nos ha costado mucho escucharlo cuando lo que predomina no es nuestra «comunalidad», sino nuestra diferencia.

La segunda apertura es todavía más radical. Ella no se limita a comprender a otro diferente. Cuando aquel otro nos habla, su habla no sólo releva un individuo que, más allá de las diferencias que mantiene con nosotros, nos desafía a comprenderlo. Su habla también es acción y como tal conlleva un poder transformador sobre nosotros. Ella es siempre una invitación a que podamos ver las cosas como él o ella las ve, que nos acerquemos por lo tanto no sólo al observador que es ese otro, sino también que nos abramos a la posibilidad de actuar cómo él o ella lo hacen, como él o ella nos los sugieren, como él o ella quisieran que lo hiciéramos. A partir del reconocimiento del poder transformador que le asignamos al lenguaje, se trata de abrirnos a la posibilidad de ser transformados por la palabra del otro. Cuando tal apertura se produce, la transformación que habilitamos también permite llamarse aprendizaje.

Ello nos permite concluir, por lo tanto, que la capacidad de escucha, tal como la estamos interpretando, es la competencia ontológica fundamental en la que el aprendizaje requiere sustentarse. Aprender significa estrictamente un ejercicio de escucha, así como la escucha permite ser vista como una competencia genérica que, como uno de sus resultados, precisamente genera aprendizaje.

Toda conversación, decimos a menudo, encierra el poder de la conversión. Toda conversación puede transformarnos, llegando incluso a modificar el tipo de ser que hasta entonces habíamos sido. Toda conversación puede constituirse en una gran experiencia de aprendizaje. Pero hagamos ahora un enroque entre esos mismos términos, entre el fenómeno de la conversación y el fenómeno del aprendizaje. Al hacerlo, constatamos que toda experiencia de aprendizaje remite, en último término, a procesos conversacionales que la sustentan y le dan dirección. Todo proceso de aprendizaje es, en rigor, un proceso conversacional. Al entenderlo así, podemos ahora procurar hacer una reconstrucción de los procesos de aprendizaje en términos de los distintos componentes conversacionales, de las diferentes competencias conversacionales, en las que dicho proceso se apoya o requiere apoyarse para llegar a ser efectivo. Éste es un desafío que, por el momento, dejamos abierto.

9. ¿Cómo devenir un aprendiz efectivo?

A un nivel genérico no es posible definir estrategias concretas de aprendizaje que sean igualmente válidas para todos los seres humanos. Somos diferentes y cada individuo posee determinadas habilidades y dificultades para desarrollar su capacidad de aprendizaje. Disponemos de estilos de aprendizajes diferentes y es importante que cada uno pueda identificar cuál de ellos le sirve mejor. Estos estilos de aprendizaje han sido caracterizados de muy distintas maneras. Algunos proponen, por ejemplo, una clasificación que destaca la importancia de lo visual, de los auditivo o de lo kinestésico. Hay múltiples otras clasificaciones y no creemos que sea pertinente explorarlas en detalle en esta oportunidad. Así como existen múltiples caminos para pensar, también son muy variados los caminos del aprendizaje y el que pudiera servirle a una persona no le sirve necesariamente a otra.

Nuestro interés, al menos en este texto, es concentrarnos tan sólo en lo que nos es posible situar a un nivel ontológico, en un nivel que es pertinente para todo y cualquier ser humano; es destacar lo que creemos válido para el conjunto de los seres humanos. Es a este nivel que procuraremos destacar algunos elementos que es importante tomar en consideración para facilitar los desafíos de aprendizaje que enfrentamos.

El fenómeno de la ceguera cognitiva

Si se nos pidiera hacer una lista con todas las cosas que sabemos, todas aquellas que hemos aprendido, eso sin duda nos va a tomar mucho tiempo. Sin embargo, podemos imaginar que llegará un punto en el que vamos a dar la lista por completa. En otras palabras, se trata de un universo finito. Él da cuenta que lo que sabemos que sabemos. Si se nos pide, ahora, que hagamos una lista de todo lo que no sabemos, nuevamente es muy posible que volvamos a invertir en ello muchos días pero, nuevamente, podemos imaginar que llegará un momento en el que nuestra lista estará completa. De nuevo, estamos también en otro universo finito. Se trata, esta vez de aquel que da cuenta de lo que sabemos que no sabemos.

Sin embargo, nuestro saber sobre lo que sabemos y lo que no sabemos no logra dar cuenta del inmenso universo de lo que podríamos saber. Además de estos dos dominios que quedan expresados en las dos listas que hemos confeccionado arriba, existen dos universos que han quedado excluidos y que no son parte de lo que sabemos. Decimos que ellos están en un espacio de penumbra y dan cuenta de un fenómeno que llamamos «ceguera cognitiva». La primera ceguera cognitiva, que para nuestros propósitos es menos importante, guarda relación con el dominio de cosas que no sabemos que sabemos. Muchos aprendizajes los hemos realizado de manera no consciente, espontánea, en el convivir con otros y como resultado de la práctica de hacer lo que hacemos. No nos damos cuenta que, en el camino, aprendimos muchas cosas que han devenido transparente en nuestro operar. A menudo, es sólo cuando nos comparamos con otros, que descubrimos que poseemos competencias que ellos no tienen y de las que no estábamos conscientes. En otras palabras, descubrimos que no sabíamos que sabíamos. Ésta es una primera situación de ceguera cognitiva.

Aquella que más nos interesa es otra. Se trata de una que suele tener un inmenso impacto en nuestra capacidad de aprendizaje. Ella se refiere al universo infinito de cosas que no sabemos que no sabemos. Lo importante a destacar es precisamente el hecho que este universo es infinito. No podemos imaginarnos el hecho que alguien tenga la capacidad de hacer esa lista y llegar a terminarla. Siempre es posible añadir nuevas cosas más a ella. Esta constituye una segunda ceguera cognitiva.

Esto tiene algunas consecuencias de importancia. Aquello que se sitúa en el espacio de lo que no sabemos que no sabemos, precisamente por situarse allí, no produce en nosotros el efecto de abrirnos a su aprendizaje. Ya lo manifestaba Heráclito. «Si no esperamos lo inesperable, jamás lo descubriremos pues ni siquiera lo buscaremos». En un primer momento, pareciera que estamos condenados a esta clausura de nuestras posibilidades de aprendizaje. Bien podría argumentarse, si no sabemos que no sabemos algo, ¿cómo podemos estar dispuesto a aprenderlo? Pero creemos que existe una salida, al menos parcial a este problema. Si bien no podemos remediar los efectos de no saber lo que no sabemos, podemos reconocer la existencia del fenómeno general de la ceguera cognitiva y, a partir de ello, mantener una actitud de apertura que muestra que, al menos, sabemos que no sabemos todo lo que no sabemos. Podemos, en el decir de Heráclito, comenzar a esperar lo inesperable.

Ello implica instaurar en nosotros una nueva actitud, una nueva disposición, una nueva emocionalidad. Se trata de instituir en el observador que somos una particular curiosidad por lo desconocido, una mayor disposición a ser sorprendidos, una mirada que mira aquello que mira aceptando que existen espacios que le son inaccesibles, espacios que para esa mirada son misteriosos y que no es posible descartar que determinadas experiencias nos revelen facetas del mundo y de nosotros mismos que anteriormente no percibíamos. Ello implica también tomar lo que sabemos con humildad, evitando la soberbia y la arrogancia que se genera cuando sólo nos afirmamos en lo que creemos saber y no abrimos espacio para el asombro frente a lo que no sabemos.

Una segunda línea de argumentación en torno a las consecuencias de lo señalado genera una conclusión que consideramos importante. Hemos sostenido que lo que sabemos es finito. Hemos comprobado también que lo que no sabemos es infinito. Si aceptamos estas dos premisas, ello implica que todo ser humano, no importa las condiciones que enfrente, es siempre infinitamente ignorante. Frente a la infinitud de lo que no sabemos, nuestras competencias y conocimientos, por muy importantes que ellos sean, son siempre infinitamente pequeñas. Vivir desde esta premisa implica vivir con una apertura al aprendizaje muy diferente de aquella que caracteriza a quién antepone lo que sabe frente a lo que no sabe. Todo esto refuerza nuestra conclusión anterior y le da mayor solidez a la disposición de humildad frente a los desafíos del aprendizaje.

10. Una mirada a Sócrates

Sócrates, filósofo griego que vivió en Atenas en tiempos de Pericles, es considerado por muchos el padre de la filosofía occidental. Cuando Querofonte, amigo de Sócrates, fue al templo de Apolo en Delfos, la Pitia –aquella sacerdotisa que entregaba los oráculos de Apolo– le dijo que Sócrates era el más sabio de todos los hombres. Ello, sin embargo, no podía ser más paradojal. Si algo caracterizaba a Sócrates era el hecho que hacía profesión de ignorante cada vez que entablaba con alguien una conversación.

En efecto, siempre que Sócrates debatía algún asunto con alguien, se preocupaba de manera especial de dejar en claro que sobre el tema en cuestión él no pretendía saber nada. ¿Cómo se explica que alguien como Sócrates, que profesaba permanentemente su ignorancia, fuera considerado por la Pitia como el más sabio de todos los hombres? Si, como sostenía la Pitia, Sócrates era sabio, ¿cómo podía afirmar, sin contradecirla, que era ignorante? A la inversa, en la medida en que Sócrates insistía en su ignorancia, ¿cómo podía la Pitia sostener que era el más sabio?

La forma en que el propio Sócrates abordó esta paradoja, consistió en señalar que es sabio quien supone que no sabe. En otras palabras, que es expresión de mayor sabiduría el suponer que no sabemos, que suponer que sí sabemos. Luego de compararse con alguien que tenía fama de sabio y que presumía de saber lo que significa ser noble y bueno, Sócrates hace la siguiente reflexión:

«*Soy más sabio que este ser humano, puesto que, probablemente, ninguno de nosotros conoce algo noble y bueno, pero él supone que sabe algo cuando no sabe, mientras yo, en tanto no sé, ni siquiera supongo que sé. Es probable que sea un poco más sabio que él en esto mismo: que lo que no sé, no supongo que lo sé.*»

Apología de Sócrates

Con respecto al aprendizaje, es más sabio suponer la ignorancia que el conocimiento.

Para Sócrates nada es más problemático que la presunción de saber, que derivamos del sentido común. Vivir desde allí es vivir en una suerte de sonambulismo, al interior de una bruma que no reconocemos como tal. Para aprender a bien vivir, inquietud fundamental que guía a Sócrates, él promueve el camino inverso. Orienta su vida desde la premisa de la ignorancia, desde el reconocimiento que no podemos descansar en el sentido común, y que la ignorancia es nuestro punto de apoyo más seguro. Según Sócrates, de lo único que nos es posible presumir es de saber que no sabemos. La seguridad que nos proporciona el sentido común es para Sócrates una ilusión, una presunción que es preciso disolver. Aquel que acepta entrar por el camino de la disolución de las supuestas certezas que le proporciona el sentido común, entra simultáneamente por camino del bien vivir.

En las conversaciones que Sócrates mantiene con sus conciudadanos, las preguntas y no las respuestas son lo importante. El blanco predilecto en sus diálogos es aquello que suponemos saber. Su maestría consiste precisamente en demostrarles a sus interlocutores cómo, detrás de esa presunción, reside en rigor nuestra ignorancia. Pero se trata de una ignorancia que no se reconoce a sí misma. Quien no manifieste una disposición a poner en cuestión sus respuestas, nos dirá Sócrates, orientará su vida por la senda equivocada. El ideal de vida, reitera, es la vida indagada. Esta es la única vida que merece ser vivida. El compromiso con la indagación representa lo más importante que un ser humano puede alcanzar, y es la puerta abierta hacia el aprendizaje.

El punto anterior se ve asociado con un fenómeno, hoy en día ampliamente reconocido en la teoría de la ciencia, llamado la paradoja del conocimiento. Nos hemos referido a ella previamente. Durante mucho tiempo se pensaba que mientras más avanzaba el conocimiento, más se reducía el espacio de lo que no sabíamos. De alguna forma, todo conocimiento algo restaba del espacio de nuestra ignorancia. Los hechos, sin embargo han comenzado a demostrar el fenómeno opuesto. Mientras más se desarrollan nuestros conocimientos, más crece la extensión de lo que intuimos que no sabemos. Lo que en un primer momento pareció extrañar a muchos, hoy se acepta en la medida que se reconoce que lo que no sabemos es infinito y, por consiguiente, cualquier avance en ese territorio no logra reducirlo.

Pero existe una tercera dimensión que también requiere ser advertida. A partir de la introducción de la noción del observador, hemos planteado que en rigor no sabemos cómo son las cosas. La antigua presunción de verdad ha sido puesta en cuestión. Hoy comenzamos a reconocer que sólo disponemos de interpretaciones que nos sugieren, no cómo son las cosas, sino tan solo cómo podrían eventualmente ser. Ello implica que nuestros conocimientos por muy sólidos que aparenten ser, son siempre conjeturales. Nunca podemos estar plenamente seguros de que las cosas sean efectivamente de acuerdo a cómo las interpretamos. Sólo disponemos de conjeturas, de hipótesis, sobre las cosas. No sólo podemos abrirnos al espacio infinito de lo que no sabemos. Aquello que creemos saber tampoco es seguro. Sólo resultará válido hasta el momento en que surja una nueva y más poderosa interpretación. Y ello puede acontecer en cualquier momento. Esta nueva conclusión refuerza incluso más la necesaria apertura que requerimos tener frente a los desafíos del aprendizaje.

Una vez que el observador que somos comience a operar desde esta apertura que hemos invocado desde tan distintos lados, la disposición al aprendizaje evidentemente se incrementa. Ella representa, por lo tanto, una importante precondición de la competencia que nos lleva a aprender a aprender.

a. La declaración de ignorancia

Los procesos de aprendizaje suelen arrancar de una determinada acción que realizamos en el lenguaje. Es más, muchas veces para que tales procesos se desencadenen es preciso hacerlos arrancar de tal acción, pues, de lo contrario, el camino del aprendizaje no se abre. Nos referimos a la declaración de ignorancia, al hecho declarar «¡Esto no lo sé!». Son muchas las personas que evitan hacer esta declaración. Sienten que hacerla los disminuyen, exhibe no sólo sus debilidades, sino también sus vulnerabilidades. Piensan a veces que el honor pareciera estar comprometido si declaramos que hay algo que no sabemos.

Estas dificultades para emitir la declaración de ignorancia suele estar ligada a determinadas circunstancias o contextos. Hay quienes se ven inhibidos a hacerla en el contexto del trabajo, pues suponen que lo importante en él es mostrar todo cuanto sabemos, pues es en razón de aquello que se nos ha contratado. Un padre muchas veces se inhibe a declarase ignorante frente a sus hijos, pues cree que al ellos descubrir su ignorancia, quizás lo respetarán menos. Lo mismo sucede muchas veces en la relación de un profesor con sus alumnos. En fin, los son muy diversos. Con ello no sólo comprometemos nuestras posibilidades de aprendizaje y, por lo tanto, prologamos nuestra ignorancia, de la misma manera, nuestro comportamiento tiene además un efecto en los sistemas sociales en los que participamos y tiende a generar también en otros la dificultad de reconocer lo que no saben. El sistema social termina restringiendo su capacidad de aprendizaje.

La dificultad que exhiba una determinada persona para realizar la declaración de ignorancia tiene un efecto de modelaje y ello es imitado por los demás con lo que sus efectos restrictivos se multiplican. A la inversa, cuando se instituye la declaración de ignorancia en un determinado sistema social, la capacidad de aprendizaje de tal sistema se refuerza.

Pero hagámonos cargo de las dificultades que inhiben esta declaración al nivel de un observador particular. Si examinamos los temores que inducen a un individuo a no reconocer (sea pública o privadamente) que no sabe, descubrimos ellos suelen ser infundados. Son pocos los seres humanos que no saben o que, al menos, no intuyan la inmensidad de lo que no saben. Ser humano, como nos lo ha dicho Blaise Pascal, es saberse miserable, es saberse profundamente limitado, vulnerable, atrapado en la finitud propia de nuestra existencia. Cuando observamos que otro ser humano, muchas veces con más conocimientos y competencias que nosotros, declara sin dificultad que hay cosas que no sabe, por lo general ello incrementa nuestro respeto y admiración hacia él o ella. Ello le confiere ventaja. Y si esa persona, que puede ser mi jefe, mi maestro o mi padre, declara en paz su ignorancia, ello me induce a hacer lo mismo y producir quizás en otros el efecto que tales declaraciones tuvieron en mis propias posibilidades de aprendizaje.

El temor de reconocer nuestra ignorancia nos conduce a prolongarla. Se trata de una manera de esconder lo que no sabemos en vez de dejarlo de manifiesto y avanzar hacia la superación de esa ignorancia ahora develada. La declaración de ignorancia, tal como lo señalamos al inicio de esta sección, es no sólo el inicio, sino también la precondición del camino del aprendizaje. En la modalidad de aprendizaje autónomo ella deviene una herramienta insustituible.

11. Algunos obstáculos del observador que bloquean el aprendizaje

Existen múltiples razones por las cuales la gente pierde oportunidades de aprender o tiene dificultades para hacerlo. Muchas de ellas remiten al tipo de observador que los individuos son. Como tal estas dificultades podemos situarlas en los cuatro dominios primarios del observador: la biología, la corporalidad, la emocionalidad y el lenguaje. En esta sección nos concentraremos en dos de estos factores: lo juicios, que pertenecen al dominio de lo lingüístico, y las emociones. Ellos se encuentran por lo demás estrechamente relacionados en la medida que las emociones pueden ser reconstruidas lingüísticamente en términos de juicios y que los juicios desencadenan determinadas emociones.

Antes de ello, sin embargo, queremos hacer un alcance sobre la relación del cuerpo con el aprendizaje. El cuerpo, tal como lo hemos señalado, permite ser abordado a partir de dos miradas diferentes: la mirada de la biología y la de la corporalidad. Si aceptamos que las acciones humanas están determinadas, en sus condiciones de posibilidad, por nuestra estructura biológica, tenemos necesariamente que aceptar que ella es también un primer factor de determinación en nuestra capacidad de aprendizaje. El estudio de las relaciones entre la estructura biológica y el comportamiento humano, es importante reconocerlo, se encuentra en sus albores. Sin embargo, los últimos avances registrados en ellas han sido sorprendentes. Ya hemos hecho referencia a las contribuciones realizadas durante las últimas décadas en torno a la biología del aprendizaje.

Todo aprendizaje sucede en el cuerpo y el cuerpo se encuentra directamente involucrado en él. Todo aprendizaje, para que sea tal, para que se asiente como aprendizaje, requiere de un proceso de incorporación, requiere hacerse cuerpo. En este sentido, hablamos de la corporalización del aprendizaje. Con ello apuntamos al dominio conductual, campo propio de la corporalidad. Estamos diciendo que el cuerpo del aprendiz debe ser capaz de desempeñar acciones que no era capaz de realizar antes. Cualquier cosa que hagamos, la hacemos con nuestro cuerpo. Cuando esto se reconoce, nos alejamos del supuesto que el aprendizaje es un proceso que sólo tiene lugar en el cerebro o en la mente de las personas. En general, todo el cuerpo está involucrado en él en la medida que la conducta del individuo se ve afectada.

Y así como el aprendizaje afecta la corporalidad, de la misma manera la corporalidad afecta también las posibilidades de aprendizaje. Hay cuerpos dispuestos corporalmente al aprendizaje de la misma manera como hay cuerpos a partir de los cuales el aprendizaje se hace muy difícil. Todo cuerpo es un cuerpo más o menos dispuesto a determinadas experiencias y tales disposiciones se expresan en posturas, en movimientos, en la gestualidad del individuo. Se expresa incluso en su patrón de respiración y su nivel de relajamiento muscular. Por lo general no tenemos dificultades para reconocer cuando encontramos cuerpos que no están adecuadamente dispuestos al aprendizaje. Muchas veces antes de iniciar el proceso mismo de aprendizaje, resulta necesario lograr que esos cuerpos se coloquen en la disposición adecuada para facilitar el aprendizaje que buscamos iniciar. Todo maestro sabe que observando las posturas y gestualidades de sus alumnos, él o ella pueden inferir cuán presentes, abiertos y comprometidos esos cuerpos están durante el proceso de enseñanza-aprendizaje.

a. Algunos juicios del observador que bloquean el aprendizaje

Existe un amplio rango de obstáculos al aprendizaje que proviene del lenguaje y muy particularmente de los juicios que tenemos sobre nosotros mismos o sobre aquello que es materia de aprendizaje. Hemos abordado el tema de los juicios con anterioridad. En esta oportunidad sólo nos concentraremos en su rol como barrera a la posibilidad de aprender. Para tal efecto, examinaremos algunos de los juicios —de entre los muchos que podrían señalarse— que bloquean el aprendizaje.

Toda experiencia de aprendizaje representa una jornada hacia territorios que no nos son familiares, hacia lugares desconocidos, no transitados previamente por nosotros. Cada incursión en el aprendizaje nos enfrenta a situaciones nuevas. Una de las paradojas de la experiencia de aprender guarda relación con el hecho que ella implica desplazarse hacia un nuevo espacio existencial que expande el horizonte de lo posible. Sin embargo, muy a menudo sucede –no es siempre el caso– que la experiencia de habitar el espacio anterior al aprendizaje suele ofrecerse como la de un espacio lleno, sin vacíos que permitan albergar posibilidades nuevas. Vivimos en la plena conformidad de nuestro propio espacio vital. Cuando ello acontece, solemos confundir lo nuevo con lo conocido; no somos capaces de reconocer lo que no nos es familiar. No vivimos con la suficiente apertura para reconocer lo nuevo y asombrarnos con ello.

Un primer obstáculo surge precisamente de esta situación. Hay personas que suelen no ver lo nuevo como nuevo. Más bien, lo ven como más de lo antiguo, como algo que ya conocen. El juicio que las caracteriza es «Esto yo ya lo sé». Existen múltiples formas para expresar esto, pero todas se reducen al hecho que somos incapaces de ver lo nuevo como nuevo. Por ejemplo, otra modalidad equivalente es aquella que recurre al juicio «Esto es lo mismo que ...». A través de este juicio muchas veces reducimos lo nuevo a lo antiguo y perdemos la posibilidad de observarlo en su originalidad.

Hay innumerables ejemplos de cómo se han perdido oportunidades de negocios porque la gente vio lo nuevo como más de lo viejo. Lo mismo sucede en el dominio del conocimiento. ¿Cuán a menudo nos hemos visto reaccionar diciendo, «Sé de lo que se trata», sólo para darnos cuenta más tarde que no teníamos la más vaga noción de lo que estaba sucediendo?

El principal obstáculo para aprender cuando vivimos en el juicio «Esto yo ya lo sé», es nuestra resistencia a abandonar nuestros supuestos. Dondequiera que estemos o cualquiera sea nuestro nivel de comprensión, tendemos a hacernos coherentes a nosotros mismos y al mundo. Cualquier nuevo suceso, cualquier dominio de acción inexplorado es, de alguna manera, una amenaza para esa coherencia. A menos que estemos dispuestos a desprendernos de nuestras formas usuales de dar sentido a las cosas, puede resultar difícil abrirse a lo nuevo y reconocerlo como tal.

Esta es una de las principales ventajas que los niños tienen sobre los adultos. Los niños no sólo tienen menos supuestos que defender, están, además, en una mayor disposición a desprenderse de los que tienen. Normalmente, están menos preocupados de preservar lo que saben. Ser niño es vivir en el asombro del descubrimiento de dominios de acción cuya existencia ni siquiera era capaz de anticipar. Aquí es donde reside su inocencia. Es fácil engañar a un niño. Los adultos, en cambio, por lo general, han perdido esa inocencia. Tienden a ser más defensivos respecto de sus supuestos y creencias.

Otro juicio que hace de barrera al aprendizaje surge, esta vez, aceptando que estamos frente a algo nuevo, pero planteando; «Yo nunca podría aprender esto». Detrás de esta frase puede haber diferentes historias. Algunos dirán, «No soy lo suficientemente hábil para conocer esto», «Esto es muy complicado para mí», «Pero si a mi me cuesta aprender»; «Yo soy malo para...» Podríamos llegar a tener una lista interminable de razones para decir, «Yo no puedo aprender esto». El nuevo dominio de acción que se le muestra a esas personas no les parece asequible. En cierto sentido, lo nuevo inhibe a la persona en tanto parece estar más allá de su alcance. Llamamos falta de auto-confianza (o autoestima) a la emocionalidad que resulta de este juicio.

Lo interesante de este tipo de juicios es que están fundados en una caracterización negativa de cómo somos, a partir de la cual cerramos posibilidades de acción. Todos ellos descansan en el supuesto que «dado como soy, nunca podré actuar de la manera que se me ofrece en el aprendizaje». Ello supone que el ser antecede a la acción. Desconoce, por lo tanto, la relación complementaria: que la acción genera ser y que, a través del aprendizaje, lo que se me ofrece es, precisamente, la posibilidad de cambiar mi forma de ser. Hace del «no saber algo» la razón para perpetuar el no saber, cuando ello puede ser justamente la razón para tomar la decisión de aprender.

Otro grupo de juicios que interfiere en el aprendizaje se refiere a las opiniones que vierte quien está en proceso de aprender, sobre cómo se le debería enseñar o cómo debería estar aprendiendo durante el proceso. Una forma que este tipo de juicio adquiere es la siguiente «Estoy dispuesto aprender, pero siempre que se me enseñe de tal o cual forma», como si quien está aprendiendo supiera cuál es la mejor forma de enseñar aquello que no sabe. Otra forma es el juicio que sostiene, por ejemplo, «Dado que no todo me queda claro de inmediato, es seguro que no lo voy a poder aprender». La situación, aunque esta vez inversa, es equivalente a la anterior: quien está aprendiendo lo que no sabe, supone que sabe cómo debiera aprenderlo.

Cada vez que enfrentamos un quiebre negativo en la vida, vale decir, una situación que nos confronta con la insatisfacción respecto de lo que nos sucede, se nos suele abrir una gran oportunidad de aprendizaje. Sin embargo, no siempre aprovechamos esta oportunidad de manera que de ella salgamos aprendiendo algo. Nuevamente, el que podamos aprovechar o desperdiciar esa oportunidad, está fuertemente relacionado con el tipo de juicios que hacemos al enfrentar el quiebre.

La persona que, al enfrentar un quiebre negativo, tiende a responsabilizar a los demás y no asume ninguna responsabilidad propia, escasamente abrirá oportunidades de aprendizaje. Quien, por el contrario, enfrenta los quiebres negativos preguntándose «¿Qué pude haber hecho que no hice (o no supe hacer) que, al margen de las responsabilidades ajenas, me hubiese evitado esta situación?» estará sin dudas en mejores condiciones de detectar deficiencias en su comportamiento y de abrir un espacio para aprender.

De la misma manera, la persona que enfrenta quiebres negativos a través de historias y juicios personales que sólo apuntan a «explicar» o «justificar» el quiebre, sin moverse hacia la acción, tampoco reconocerá en ellos oportunidades de aprendizaje. Típico en estos casos es la fórmula «Esto me sucedió porque soy ...» o «Esto pasó porque Juan es un ...». Si damos el juicio como una forma de caracterizar como «somos» (nuestro «ser» o el «ser» de Juan), cerramos la posibilidad de emprender las acciones que permitan en el futuro evitar ese mismo quiebre. Entre ellas, obviamente, destaca el aprendizaje.

b. Algunas emociones del observador que bloquean el aprendizaje

Las emociones constituyen un aspecto fundamental de todo proceso de aprendizaje. Para ello deben ser consideradas y diseñadas como parte del proceso. La disposición al aprendizaje no es una función de la veracidad de lo que enseñamos, sino de la apertura emocional que se produce en quien aprende. La persuasión es sólo una forma de seducción, y la experiencia de captar algo como verdadero es básicamente una experiencia emocional. Los procesos intelectuales operan sobre cimientos emocionales.

Siguiendo a Maturana, entendemos las emociones como particulares predisposiciones para la acción (ya se trate de emociones propiamente tales o de estados de ánimo, de acuerdo a la distinción que hemos formulado en páginas anteriores). Los seres humanos nos encontramos siempre en determinados estados emocionales. Es difícil detectar en la vida una situación que podamos definir como carente de emocionalidad. Tal como lo hemos señalado anteriormente, la propia apatía (de griego a-pathos, falta de emoción) es, de por sí, un tipo de emocionalidad. La emoción, por lo tanto, define nuestra modalidad de ser en el presente, en relación a nuestra disposición para la acción.

Cuando vivimos la experiencia que ciertas posibilidades de acción se abren y otras se cierran, podemos identificarla a partir de determinadas disposiciones emocionales y decimos, por ejemplo, que estamos entusiasmados, tristes o furiosos. En cada una de esas emociones hay ciertas acciones que son posibles y otras que no lo son. En cada una de esas emociones nuestra apertura hacia los demás y, en general, hacia la propia vida, es diferente. Nuestra disposición al aprendizaje, siendo éste una particular modalidad de acción, no sólo remite a las restricciones que resulten de nuestra estructura biológica o al tipo de juicios que podamos hacer sobre lo que nos acontece. Ella remite también a las condiciones emocionales en las que nos encontremos.

La relación entre la emocionalidad y el aprendizaje es quizás uno de los temas más importantes de abordar. Ello, por cuanto ha sido históricamente una de las temáticas más ignoradas por nuestra tradición racionalista y logocéntrica, que ha privilegiado siempre los aspectos de contenido en los procesos de aprendizaje. El énfasis puesto, por ejemplo, en el diseño curricular así lo atestigua. Por siglos hemos pensado que lo fundamental en el aprendizaje es la claridad de las ideas y la impecabilidad de su articulación lógica. Ello, se supone, es suficiente para generar un adecuado aprendizaje. Éste ha sido uno de los supuestos centrales del programa metafísico que inauguraran en la Grecia antigua Platón y Aristóteles.

Antes de los metafísicos, sin embargo, en la Grecia presocrática, el aprendizaje se entendía de manera muy diferente. La racionalidad no era el fundamento de la enseñanza que durante mucho tiempo estuvo en manos de los poetas, ni era tampoco el pilar central del tipo de enseñanza impartida por los sofistas, aquellos primeros profesores profesionales que conocemos en la historia. Tanto en los unos como en los otros, se reconocía la importancia de los aspectos emocionales del proceso de aprendizaje.

Es precisamente en ese contexto, por ejemplo, que los sofistas se dedican al desarrollo de la retórica, el arte del convencimiento y de la seducción a través de la palabra. En la retórica, el logos, el contenido racional de lo que quiere comunicar, es un aspecto importante que debe ser considerado, pero sólo uno entre otros. Tan importante como él son otros dos aspectos: lo que los griegos llaman el ethos y el pathos. El ethos apunta a la autoridad, presencia y fuerza emocional de quien enseña y habla. El pathos remite a la experiencia emocional de quien aprende y escucha. Para producir una experiencia de aprendizaje efectiva y plena, estos tres elementos, logos, ethos y pathos, tienen que ser desarrollados y apoyarse mutuamente. Aristóteles, que en su Retórica reconoce esos tres elementos, termina sacrificando los dos últimos en favor de la preeminencia del logos.

Sin embargo, si miramos nuestras propias experiencias, sabemos que aquellos maestros que más impactaron nuestras vidas no siempre fueron los más claros ni los que posiblemente sabían más. No siempre eran los que se destacaban por la impecabilidad de su lógica. Muchas veces fueron aquellos que supieron crear con sus enseñanzas un espacio emocional particular, desde el cual vimos aparecer nuevas posibilidades para nosotros en la vida y, por lo tanto, nos enseñaron la posibilidad, no de una materia específica o un conjunto de procedimientos, sino de un futuro diferente. Fueron maestros que contribuyeron a modificar nuestro sentido de vida.

La importancia central que tiene para el aprendizaje el espacio emocional desde el cual éste se lleva a cabo, de ninguna forma implica desconocer la importancia del contenido. Pero éste de nada sirve si el espacio emocional desde el cual se imparte, desde el cual se le enseña, no es el adecuado. ¿De qué sirve la luminosidad del contenido si la emocionalidad que prevalece en el proceso de aprendizaje nos lleva a cerrarnos a la posibilidad de aprender?

Examinaremos algunas emociones particulares que están directamente conectadas con el proceso de aprendizaje.

La arrogancia

Para que ocurra el aprendizaje, debemos abrirnos a la posibilidad que haya algo por aprender. El aprendizaje requiere apertura a lo nuevo y una disposición a cuestionar lo que conocemos. Estas son predisposiciones emocionales para aprender. Sin ellas el aprendizaje no puede ocurrir.

Los seres humanos estamos continuamente en un proceso de dar sentido a nuestras vidas y al mundo que nos rodea. Usualmente no nos referimos a lo que no conocemos como a algo que no conocemos. Hacemos precisamente lo contrario. Construimos una coherencia basada en lo que creemos que es así. El proceso de aprendizaje, a menudo, toma la forma de una lucha contra nuestras propias coherencias pasadas.

Desgraciadamente, encontramos muchas cosas que conspiran contra nuestras coherencias. Cuando no somos capaces de lograr lo que esperamos, cuando los resultados que obtenemos son insatisfactorios, cuando enfrentamos problemas o quiebres en el fluir transparente de la vida, podemos cuestionar nuestras coherencias y certezas. Los resultados negativos que nos llevan a declarar problemas pueden ser grandes facilitadoras de aprendizaje. Mientras más duro sea el problema, mejor podrá ser nuestra disposición a abrirnos a algo nuevo y cuestionar nuestras creencias. No es sorprendente darse cuenta de que la gente que es severamente derrotada suele demuestrar una mayor apertura al aprendizaje futuro. La experiencia de países tales como Japón y Alemania tras la Segunda Guerra Mundial habla por sí sola. El éxito genera seguridad y la seguridad produce ceguera.

Esta ceguera suele asociarse con la emoción que distinguimos con la palabra «arrogancia». La arrogancia es una emociónl que permite de ser lingüísticamente reconstruida de la siguiente manera: «Conozco todo lo que está ahí para ser conocido y nada ni nadie a mi alrededor representa para mí una posibilidad de aprender algo nuevo». Cuando estamos en el estado emocional de arrogancia simplemente no estamos disponibles para el aprendizaje. Para que el aprendizaje tenga lugar, primero debemos actuar para producir un cambio emocional, debemos estremecer el estado de ánimo de arrogancia existente. Al estremecer nuestra arrogancia, generamos un estado de ánimo de disposición al aprendizaje. Esta disposición nos permite ver lo nuevo como nuevo, no como algo que ya conocemos.

Confusión, perplejidad y asombro

Pero aún cuando somos capaces de ver lo nuevo como nuevo, reaccionamos a ello en diversas formas emocionales. Estas son las emocionalidades de la confusión, la perplejidad y el asombro. Examinemos cada una de ellas, Cuando decimos, «Estoy confundido», nos encontramos en un estado emocional que puede reconstruirse como sigue: «Juzgo que esto es nuevo. No lo entiendo y eso no me gusta». Cuando estamos confundidos, entramos en una emoción que se arraiga en nuestras coherencias pasadas. Las coherencias pasadas son puestas en peligro por cualquier cosa que sea nueva. Este apego a las coherencias pasadas lleva a la confusión.

Cuando decimos, «Estoy perplejo», también estamos reconociendo que estamos enfrentando algo nuevo. Sin embargo, en este caso nos debatimos entre el riesgo de perder parte de nuestras coherencias adquiridas (heredadas del pasado), y el reconocimiento de las nuevas posibilidades («lo nuevo») que ello pueda traer consigo. No sabemos qué es mejor. Decimos, «Juzgo que esto es nuevo. No lo estoy entendiendo del todo y no estoy seguro si me gusta o no. Estoy a la espera de ver que resultará de esto».

Cuando estamos en asombro, la experiencia emocional es muy diferente. Nuevamente, somos capaces de ver lo nuevo como nuevo, pero en lugar de confundirnos o quedar perplejos, podemos visualizar lo nuevo como la expansión de lo que será posible en el futuro. Cuando estamos asombrados, el futuro se hace cargo de nuestro estado emocional. Es como decir, «Juzgo que esto es nuevo. Y aunque todavía no lo entiendo cabalmente, ¡esto me gusta!»

Al enfrentar algo nuevo, distintas personas se encuentran en estados emocionales muy diferentes. Confrontados con la misma experiencia de aprendizaje, algunas personas pueden estar confusas, otras perplejas, y hay aquellos que pueden estar asombrados. Las diferencias en sus estados emocionales influirán directamente en su capacidad de aprendizaje.

La resignación y el aburrimiento

Algunas de las emocionalidades que obstruyen al aprendizaje operan como obstáculo antes de que el proceso de aprendizaje se inicie. La más importante que podemos señalar a este respecto es la emocionalidad de la resignación en sus diferentes manifestaciones, entre las que podríamos incluir el aburrimiento.

Tanto la resignación como el aburrimiento se caracterizan por cerrarse de antemano a la posibilidad que encierra el aprendizaje. La resignación, como bien sabemos, nos cierra a las posibilidades que otros observan. Lo que otros ven como posible, no es percibido así por el resignado o, al menos, no lo percibe así para él. Su respuesta a la acción (en este caso al aprendizaje) es «¿Para qué?» «¿Qué se obtiene con eso?» El aburrimiento, por su parte, permite ser reconstruido como una emoción desde la cual se considera que lo que sucede no conduce a nada, que no abre, ni incluso cierra, posibilidades: las cosas suceden como si no pasara nada. Todo pareciera dar lo mismo.

Si un maestro detecta que éstas son las predisposiciones de sus alumnos, más le vale hacerse cargo de modificarlas, antes incluso de pretender pasar materia. Dicho de otra forma, al momento de «pasar materia», de iniciarse el proceso de aprendizaje, de lo primero de lo que es necesario hacerse cargo, es de considerar el estado emocional de los alumnos y disolver la emocionalidad que obstruye los procesos.

El miedo

Existen otras emociones que también hacen de obstáculo al aprendizaje, pero que suelen producirse con mayor frecuencia al interior de su propio proceso. Dentro de ellas queremos destacar particularmente una: nos referimos a la emoción del miedo. Separamos el miedo de otras emociones asociadas con el desafío que suele producir la experiencia de aprendizaje, en el sentido de imponerle a quien aprende una sensación de riesgo, incluso de inseguridad por tener que explorar territorios desconocidos, de tener que exigirse más allá de lo habitual, de tener incluso la sensación que se salta al vacío.

Nos referimos aquí al miedo que surge ligado a experiencias de indignidad, de falta de respeto hacia el aprendiz por parte de quien detenta la autoridad en el proceso de aprendizaje. Aludimos en este caso a las reacciones emocionales que surgen del maltrato, del abuso que puede ejercer aquel sobre quien recae el rol de enseñar, en cuanto a la confianza que le ha sido conferida por quien desea aprender. Nos referimos al hostigamiento a que el maestro puede someter al alumno, a partir del poder que éste le otorga.

La relación de enseñanza-aprendizaje es una relación desigual de poder y no puede ser de otra forma. La relación de enseñanza-aprendizaje no es ni puede ser una relación democrática, una relación entre iguales. Maestro y aprendiz constituyen la relación de enseñanza-aprendizaje en razón de sus diferencias, de lo que separa al maestro del alumno. Si hay una diferencia entre ambos, la relación de enseñanza-aprendizaje no se justifica. El maestro se define porque sabe, porque puede actuar de una forma que, quien no sabe, no puede. Saber es poder y no saber es no poder.

Cuando el alumno siente que la experiencia de aprendizaje compromete su dignidad, el propio aprendizaje suele verse severamente comprometido. La disposición de apertura de parte del alumno se troca fácilmente en defensa, en cierre, en afán de guarecerse, en evitar aquello que se vive como humillación y, por ende, en eludir la propia experiencia de aprendizaje. Quien utiliza el miedo y la humillación como herramientas de aprendizaje simplemente no entiende el papel que en él juegan las emociones.

c. Consideraciones finales

A veces pensamos que no podemos hacer o aprender cualquier cosa. Pero cuando hacemos esa reflexión, muchas veces observamos que otros pueden hacer o aprender aquello que nos parece tan imposible. El que otros lo hagan, nos sugiere que es posible. Sin embargo, encontramos límites en nuestra capacidad de acción y aprendizaje. Y el problema no reside muchas veces en una falta de motivación. Al contrario, frecuentemente lo que más deseamos es lo que no podemos hacer. Surge entonces la pregunta ¿cuáles son los límites que nos impiden hacerlo? ¿Qué condicionantes acotan la extensión de nuestra acción y de nuestros aprendizajes?

Nuestras experiencias remiten a las cosas que nos pasan en la vida. Sobre ellas elaboramos determinadas interpretaciones. Pues bien, a menudo confundimos la experiencia con la interpretación que hacemos de ella. Al proceder así, nos limitamos a la explicación que generamos, y restringimos, primero, la posibilidad de considerar otras interpretaciones y, segundo, el rango de acciones que, desde otras interpretaciones, podemos emprender para hacernos cargo de lo que sucede. Una de las consecuencias de lo anterior es la reducción de nuestras posibilidades de aprendizaje, en la medida en que nos atamos innecesariamente a determinadas explicaciones.

Una de las grandes ventajas que resulta de situarnos en la perspectiva del observador, es la posibilidad de mirar nuestras explicaciones como tales y, por consiguiente como nuestras y no como realidades que nos son ajenas y difíciles de cambiar. Esta perspectiva constituye un factor central en la expansión de nuestras posibilidades de aprendizaje. La capacidad que como observadores desarrollemos para separar el fenómeno de la explicación y para estar dispuestos a desprendernos de nuestras interpretaciones o explicaciones cuando encontremos otras más poderosas, resultará ser un aspecto importante en la capacidad de que dispongamos para adaptarnos exitosamente a nuevas situaciones y para desarrollar nuestro actuar con mejores resultados.

12. La importancia de la humildad como postura básica

Intercambiar juicios, particularmente cuando estos son críticos, no es fácil. Nuestra primera reacción suele ser defensiva. Resistimos la crítica. Nos sentimos cuestionados como personas. En muchas oportunidades, no podemos evitar sentirnos ofendidos o avergonzados. Acudimos espontáneamente a factores externos, en los que diluimos nuestra responsabilidad,

117

para explicar y luego justificar los resultados insatisfactorios. Desarrollamos múltiples mecanismos para evitar la crítica.

Sin embargo, sabemos que nuestra posibilidad de modificar los factores externos, como son el comportamiento de los demás o mucho de lo que acontece en nuestro entorno, es más difícil que la posibilidad de corregir nuestro propio comportamiento. Esta dificultad se incrementa cuando las reacciones defensivas son compartidas por todos los miembros de un grupo humano y cuando, en consecuencia, cada uno apunta su dedo hacia afuera a la vez que reacciona defensivamente cuando alguien apunta el dedo hacia él. Bajo estas circunstancias, nadie termina haciéndose cargo de nada.

Ello no sólo resiente el aprendizaje individual de los miembros del grupo, sino que restringe a la vez las posibilidades de aprendizaje de la colectividad como sistema, limitando su capacidad de reacción, mejoramiento e innovación. La principal fuente de innovación surge del interés de hacerse cargo de lo que no funciona, de las insuficiencias que exhibe nuestro desempeño. Si la posibilidad de conversar sobre estas insuficiencias está limitada, limitaremos también nuestra capacidad de innovar.

Nuestra capacidad de aprendizaje es tributaria de nuestra capacidad de aceptar juicios críticos sobre nuestros desempeños, de observar áreas de mejoramiento, áreas de superación. Quien resiste ser criticado, quien no tolera poner sus acciones en cuestión, compromete su capacidad de aprendizaje y, por lo tanto, su capacidad de transformación. En vez de fluir en la vida, hace de su forma de ser algo fijo, inmutable, cerrado al cambio.

Es muy importante, entonces, establecer una conexión con el fracaso. No con un cuento explicador o justificador que contamos después, sino con el momento mismo en que aquello se intentó y no dio resultado. El cuento que justifica o pone en camuflaje el fracaso, cierra mis puentes de acceso a los nuevos intentos y a la transformación. La arrogancia es un puente cerrado.

13. La afirmación del misterio como dimensión fundamental de la realidad

Todo esfuerzo por entender al otro en su actuar e, incluso, por entenderlo como el tipo de observador que es y que lo lleva a actuar como lo hace, remite ineludiblemente al observador que somos nosotros mismos y a explicaciones producidas por este observador, siempre limitado e incapaz de acceder al otro tal cual es. Ello significa que en nuestras relaciones con los demás, sabemos que nuestras interpretaciones son aproximaciones al misterio que el otro representa. Este misterio se mantendrá siempre como tal, independientemente del poder relativo de nuestras interpretaciones. Por muy poderosas que ellas sean, no pueden disolver el misterio que es cada ser humano.

Esto define, desde otra perspectiva, el tipo de relación que establecemos con ellos, y configura una modalidad de convivencia no sólo fundada en el respeto mutuo, sino también en una profunda y recíproca humildad, al establecer la forma como hacemos sentido de nosotros y de los demás. La noción del misterio de la persona humana está en el corazón de lo que planteamos, y ella es también uno de los pilares de la propuesta que hacemos para fundar una nueva ética de la convivencia.

Somos seres misteriosos. Estamos abiertos a transformaciones que sorprenderán a otros y también a nosotros mismos. Nuestras miradas a los demás y a nosotros, son siempre miradas precarias, incompletas. Nuestras interpretaciones van a ser siempre limitadas e insuficientes. Y, sin embargo, ellas nos confieren el poder de avanzar en el camino de adentrarnos en el alma humana, aunque ese camino nunca llegue a ser recorrido en su totalidad. Jamás llegaremos a dilucidarlo; nunca seremos capaces de apagar el fuego del misterio que caracteriza al ser humano.

Quien concibe su existencia como un camino de búsqueda, suele estar consciente del carácter conjetural y provisorio que guardan sus conclusiones; muestra una mayor disposición a revisar sus interpretaciones; cultiva una disposición a soltarlas si es necesario, y a reemplazarlas por otras. Es decir, hablamos de una disposición que se constituye en umbral del aprendizaje. Cada experiencia que esa persona vive, cada encuentro, representa una oportunidad de descubrir algo nuevo, de aprender algo distinto, de ser transformado en un ser diferente. Sus certezas son menores, y nunca absolutas. La experiencia del misterio se repite constantemente y suele estar abierta al asombro.

Desde esta perspectiva, resulta muy importante el aprendizaje de la apertura, el desarrollo de la capacidad de revisar y soltar aquellos juicios e interpretaciones que hemos formulado inicialmente, tanto con respecto a las personas y situaciones, como con respecto a las posibilidades de transformación. En la medida en que esa disposición de apertura se exprese en nuestra relación con los demás, seremos capaces de escucharlos y por tanto de conocerlos mejor, y la calidad de nuestras relaciones con ellos tenderá probablemente a mejorar, lo que posibilitará mayores cursos de acción conjunta.

14. «Nosotros, los que conocemos, nos somos desconocidos»

Llegados a este punto, es importante destacar que nosotros, respecto de nosotros mismos, nos situamos en el espacio de nuestra ceguera cognitiva. Pocas cosas son más difíciles de disolver que la ilusión que nos conocemos. Sin embargo, mucho de lo que sostenemos sobre nosotros permite ser disputado.

A pesar de lo que creemos y suponemos, en rigor, nos conocemos muy poco. Recordemos la expresión de Nietzsche: «nosotros, los que conocemos, nos somos desconocidos». Lo que pensamos sobre nosotros, pocas veces logra sostenerse una vez que desarrollamos un proceso indagativo riguroso. Lo único que puede invalidar la idea que nos somos desconocidos, es el iniciar con cierto rigor un proceso de indagación dirigido hacia nosotros, y verificar lo que entonces sucede. Allí determinaremos cuánto efectivamente nos conocíamos. El resto sólo conduce a una discusión inútil.

La idea que nos somos desconocidos, con todo, dista de ser nueva. Los griegos ya se habían percatado de lo que sostenemos. No en vano en el santuario de Delfos, uno de los lugares religiosos más importantes del mundo griego, se leía la inscripción «Conócete a ti mismo». Este mensaje ejercería gran influencia en el pensamiento y, en general, en la cultura griega. Sabemos que Heráclito declaraba con orgullo, «He indagado en mi propia naturaleza», abriendo con ello un amplio camino de exploración que luego será seguido por muchos otros. Hemos hecho mención ya de cómo Sócrates compromete su vida en este esfuerzo de poner en cuestión los presupuestos desde los cuales operamos, o creemos operar, y destaca la importancia de una vida sustentada en la actividad indagativa.

Con todo, debemos reiterar nuevamente algo que señalamos con frecuencia. El ser humano no es un ser acabado, sino un ser en un proceso de construcción permanente. El proceso indagativo dirigido hacia uno mismo no consiste en revelar cómo somos, aunque algo de ello sin duda encontraremos. Se trata de un proceso que, por llevarlo a cabo, nos constituye de por sí en seres diferentes y que es en sí mismo un aprendizaje. No podemos separar indagación, por un lado, y el ser que somos, por el otro. La acción indagativa nos afecta; ella transforma el propio ser que busca conocer. El ser en un proceso de indagación es diferente del ser que no se indaga.

Y va siendo diferente a medida que la propia indagación avanza. Una vida indagadora es una vida de aprendizaje constante.

15. Conocimiento y sabiduría: la relación con la vida

Hasta ahora hemos jugado con las distinciones del aprendizaje, el conocimiento y la acción. Hemos visto las diversas formas en que se entrelazan. Existe, sin embargo, otra distinción que está estrechamente relacionada con el conocimiento: la distinción de la sabiduría. ¿Qué es la sabiduría? ¿Cuándo decimos que alguien es una persona sabia? ¿Qué hace alguien para que nosotros digamos que él o ella es sabio o sabia? Cada vez que decimos que alguien es sabio, pareciéramos referirnos a la forma en que usa su conocimiento. La sabiduría es, en un primer acercamiento, un juicio acerca de la manera en que la gente se relaciona con su conocimiento.

El conocimiento en sí no es sabiduría. Todos conocemos personas que saben muchas cosas y aún así, no diríamos que son sabias. También hemos visto personas que pueden responder casi cualquier pregunta que se les haga, pero no necesariamente diríamos que son sabias. La sabiduría no tiene que ver sólo con responder preguntas. La cantidad de cosas que sabemos no nos hace más sabios. Por el contrario, hemos conocido personas que, en términos de la cantidad de conocimiento que poseen, pueden clasificar bajo el promedio y, sin embargo, las calificaríamos de sabias. Recuerdo algunas personas mayores e iletradas que conocí en mi infancia, a quienes sin duda yo calificaría de sabias, y de quienes aprendí más que de algún maestro en la escuela.

Lo importante en el caso de Sócrates, como hemos visto, era que sabía que no sabía. En eso se diferenciaba de los insensatos, como los llama Diotima en El Banquete: en que ellos creen que saben. La sabiduría de Sócrates consistía precisamente en el reconocimiento de su ignorancia y en su deseo de conocer. ¿Pero qué conocimiento buscaba? No lo que entendemos tradicionalmente por ese concepto. El buscaba el conocimiento de aquellas virtudes que permitían desarrollar el arte de bien vivir. El conocimiento se convierte, en el caso de Sócrates en un peldaño indispensable para la sabiduría. No ha de pensarse, entonces, que los conocimientos y destrezas, informaciones y técnicas, son lo único que puede aprenderse. La sabiduría es algo que está también al alcance de los seres humanos a través del aprendizaje.

En un segundo acercamiento, diríamos que la sabiduría es la habilidad para vincular lo que sabemos con dominios de acción más amplios y, en última instancia, con la vida misma. Al final, la sabiduría es la habilidad de usar lo que sabemos para el mejoramiento de la vida. Llamamos sabios a quienes sitúan sus vidas y su capacidad de acción en el centro de sus inquietudes y se relacionan con el conocimiento en términos de servir a sus vidas. Cuando hacemos esto, cuando somos capaces de subordinar el conocimiento al mejoramiento de nuestra vida, nos damos cuenta de que a menudo es sabio dejar de recolectar información y moverse hacia la acción. Es una señal de sabiduría el saber cuándo dejar de saber, de manera de perfeccionar el vivir.

Muchas veces escuchamos decir: «¡Qué sabia es esa persona!». Con ello no se quiere decir especialmente que ella tenga una gran cantidad de información o conocimientos específicos. A lo que parece apuntar la expresión es más bien a una actitud frente a la vida, a las relaciones con los demás y al mundo en general, que se caracteriza por una cierta serenidad, armonía, sensatez y penetración; por una particular manera de honrar el misterio de la vida desde la humildad.

Cuando obramos desde la sabiduría, somos capaces de discernir y de discriminar lo que deberíamos saber y lo que no necesitamos saber. Es un error suponer que deberíamos saber cada nuevo trozo de información, cada nueva habilidad práctica, conocer a toda la gente que nos rodea, cada lugar del mundo. Esto no nos va a dar poder ni nos hará vivir una vida mejor. Con ello pereciéramos cerrar un círculo: la vida nos proporciona a los seres humanos la capacidad de conocer y ese conocimiento retorna a la propia vida buscando hacerla mejor.

Éste es uno de los rasgos que más apreciamos en el discurso de la ontología del lenguaje: su amor y compromiso con la vida. Más allá del rigor conceptual que se auto-impone en su mirada, más importante todavía resulta su dimensión ética que la vincula tanto con el mejoramiento de nuestras modalidades de convivencia, como el enriquecimiento de nuestro sentido de vida y, por lo tanto, con el enriquecimiento de la vida misma. Ello implica un compromiso no sólo por expandir el conocimiento sobre la vida en general y, de manera particular, sobre nosotros mismos, sino, por sobretodo, por su propósito de introducir en nuestras vidas algún grado mayor de sabiduría. Hay en ella un llamado a dejar de ser insensatos y de despertar a los grandes desafíos que la vida nos plantea.

En las diversas tradiciones antiguas, se consideraba sabio a aquel que tenía una manera de vivir especial, diferente de las otras personas. La palabra sophia, en la tradición griega, no se refería tanto a la sabiduría teórica como al saber cómo hacer o saber-cómo-vivir. Siendo la filosofía un amor a la sabiduría, debía convertirse necesariamente en una manera de vivir.

La idea de considerar que el conocimiento y el aprendizaje son los caminos para alcanzar una mejor manera de vivir, una vida virtuosa, se encuentra en las tradiciones espirituales de todos los tiempos y culturas. El conocimiento suele ser utilitario en la medida en que no conduzca a un estadio más alto, en el que se trascienda tanto el ámbito meramente conceptual, como el terreno de lo instrumental, para engendrar —dicho en el lenguaje de los antiguos— la virtud dentro del alma.

III
«SOBRE LA ENSEÑANZA»

Escrito en colaboración con Alicia Pizarro

En una sección anterior, hemos distinguido tres modalidades generales de aprendizaje: el aprendizaje por imitación, el aprendizaje por enseñanza y el aprendizaje autónomo. El objetivo de este trabajo es examinar con mayor detalle el fenómeno de la enseñanza que define la segunda modalidad de aprendizaje arriba señalada.

Como lo planteáramos en su oportunidad, el aprendizaje por imitación se caracteriza por el hecho de que el aprendiz logra producir resultados efectivos a través de sumergirse directamente en las acciones que los producen. Al participar en lo que hacen los que saben y efectuando las acciones que ellos realizan, termina produciendo los resultados que ellos producen.

Con el aprendizaje por enseñanza sucede algo diferente. Las acciones a las que se somete el alumno han sido diseñadas con el objetivo de producir aprendizaje y no necesariamente los resultados propios del dominio de acción que se busca aprender. Decíamos que las acciones que ejecuta un profesor de cirugía cuando le enseña a sus alumnos (las acciones pedagógicas) no son necesariamente las mismas que emprende el cirujano cuando se desempeña como tal en la sala de operaciones (las acciones quirúrgicas).

La enseñanza es un práctica de segundo orden. Ella hace del aprendizaje un resultado diferente de los resultados que ese mismo aprendizaje será, más adelante, capaz de producir.

Con ello ejecuta la separación (que en algunos casos termina en divorcio) entre el aprendizaje y el trabajo. Esta separación, en algunos casos, llega a ser tan acentuada que tenemos la situación de algunos maestros altamente competentes en producir aprendizaje y, sin embargo, ellos mismos se revelan incompetentes cuando se ven enfrentados a producir los resultados de la propia disciplina que enseñan. Con ello no estamos emitiendo un juicio negativo, sino constatando un hecho. Esto es un hecho resultante de la separación entre aprendizaje y trabajo que acomete la enseñanza. Con la práctica de la enseñanza se rompe la unión entre formación y acción que acompaña al aprendizaje por imitación. Ambas pasan a ocupar esferas diferentes.

Esta separación entre aprendizaje y acción efectiva, que se encuentra en la base del proceso de enseñanza, genera otras «separaciones» que, con el tiempo, contribuirán a profundizar algunas crisis de importancia en las instituciones de educación. Al menos dos de ellas merecen ser examinadas.

La primera separación guarda relación con la emergencia de diversas modalidades de interpretación del fenómeno del aprendizaje. En el aprendizaje por imitación resulta natural entender que aprender consiste en adquirir capacidad de acción efectiva. La relación entre aprendizaje y la acción es manifiesta y ella no presenta mayor misterio para todos los agentes involucrados. Con el desarrollo de la enseñanza y con la separación que ella impone entre aprendizaje y trabajo, formación y acción, este relación se encubre y deja de ser evidente.

En la medida que la capacidad de acción efectiva que produce el aprendizaje tiende a manifestarse en un momento posterior y fuera del ámbito educativo, y, dado que el propio sistema educativo tiene, por necesidad, que evaluar aprendizaje en el curso del propio proceso de enseñanza, aquello que muchas veces se evalúa es capacidad de retención de información, de asimilación de contenidos enseñados, y no la capacidad de acción efectiva en el desempeño del trabajo que en rigor define al fenómeno del aprendizaje.

Ello permite el desarrollo de interpretaciones sobre lo que constituye el aprendizaje en las que el vínculo de éste con la acción efectiva se oscurece o simplemente desaparece. Se interpreta el saber como la capacidad de repetir lo que el maestro he enseñado. No estamos señalando que el poder repetir lo enseñado sea necesariamente cuestionable. Ello es muchas veces expresión real de aprendizaje y condición para luego poder desempeñarse efectivamente. Lo que interesa destacar es el ocultamiento del vínculo entre el aprendizaje y la acción a la que éste está necesariamente vinculado. Uno de los subproductos de esta separación es el hecho que muchas personas pueden hablar y emitir opiniones sobre un determinado dominio de acción pero son incapaces para desenvolverse efectivamente en él y generar resultados concretos.

La segunda separación guarda relación con las interpretaciones que tienden a imponerse con respecto a la enseñanza. Hemos sostenido que la enseñanza es una práctica de segundo orden por cuanto instaura un proceso que es diferente al proceso que busca enseñar. La enseñanza es una práctica que conduce a otra práctica. Pues bien, siendo la enseñanza una práctica que requiere ser aprendida, ella, como cualquier otra práctica, puede tambien ser enseñada. En otras palabras, es necesario enseñar a quienes enseñan. El educador requiere también ser educado. Con ello emerge ahora una práctica de tercer orden: la práctica de enseñarle a quienes tendrán que enseñar a otros lo que éstos requieren aprender para desenvolverse efectivamente en la comunidad.

Esta situación va a producir, nuevamente, una separación entre el aprendizaje que el aprendiz de maestro tiene que alcanzar y la acción pedagógica que como maestro tendrá que realizar posteriormente. De esta separación surgirán interpretaciones distorcionadas con respecto al carácter de la función del maestro. Este podrá ahora considerar que enseña en la medida que haga aquello que se le enseñó o que haga lo que él considera que son las acciones propias de la enseñanza, con independencia de lo que suceda con sus alumnos. La enseñanza pasa a ser concebida de acuerdo a un conjunto particular de acciones y no de acuerdo a los resultados que produce.

Una vez que separamos la función de maestro de los resultados de su acción abrimos caminos para interpretaciones que socavan el sentido de responsabilidad que a éste le cabe con respecto a la práctica docente. Ser un maestro, por ejemplo, resulta ahora ser un atributo que proviene del certificado maestro que le fuera otorgado por una institución de enseñanza y no de los resultados de su práctica docente. Se entiende que un maestro enseña cuando realiza las acciones pedagógicas que aprendió y no cuando genera aprendizaje. Con estas interpretaciones estamos ahora acometiendo una profunda separación entre la enseñanza y el aprendizaje, separación en que la primera, la enseñanza, puede ahora prescindir de la segunda, el aprendizaje.

Sostenemos que estas sucesivas separaciones han conducido progresivamente a una severa crisis de nuestras instituciones de enseñanza, crisis en la que éstas han visto comprometida su propia vocación se servicio a los alumnos y a la sociedad. Es más, estas mismas separaciones se han convertido hoy en día en obstáculos insalvables para que nuestras instituciones de enseñanza puedan responder adecuadamente a las nuevas exigencias y desafíos que se están demandando de ellas. Lo que está en juego actualmente es el reto de replantear la función y responsabilidad del maestro y de ser capaces de rediseñar la manera como le enseñamos a los maestros a enseñar, para que éstos vuelvan a una modalidad de enseñanza explícita y directamente comprometida con el aprendizaje de sus alumnos. Tenemos que ser capaces de someter la práctica docente a una severa revisión crítica de manera de avanza hacia lo que hemos llamado un nuevo ethos pedagógico, un nuevo tipo de relación entre el maestro y el alumno.

1. Tres premisas fundamentales para la reconstrucción de la práctica docente

Nuestra propuesta de rediseño de la práctica docente descansa en tres premisas básicas. Ellas son el reconocimiento que el aprendizaje valida la enseñanza, que el aprendizaje se extresa en acción efectiva y que el proceso de enseñanza-aprendizaje es de naturaleza conversacional. Las abordaremos en ese mismo orden.

a. El aprendizaje valida la enseñanza

La primera premisa que consideramos fundamental para avanzar en el rediseño de la práctica docente busca restaurar la unidad perdida entre la enseñanza y el aprendizaje. Sostenemos que la enseñanza es una práctica destinada a producir aprendizaje y que, en cuanto tal, sólo podemos hablar de ella cuando genera aprendizaje como resultado. Una enseñanza que no produce aprendizaje no es enseñanza, por mucho que ejecute un sinnúmero de acciones pedagógicas. Correspondientemente, mientras mayor y más alta sea la calidad del aprendizaje que genera, mejor será la enseñanza. La enseñanza requiere ser evaluada por su resultado y el único resultado que es pertinente evaluar es el aprendizaje de los alumnos.

De lo anterior, podemos extraer varias conclusiones adicionales. Una vez que aceptamos que el aprendizaje valida la enseñanza, tenemos que aceptar también que cada vez que el maestro evalua el aprendizaje de sus alumnos, se está a la vez evaluando a sí mismo. Si los alumnos muestran no haber aprendido ello implica que el maestro, independientemente de todo lo que pueda haber hecho, no ha enseñado. Con ello no pretendemos desconocer la responsabilidad de los propios alumnos en el proceso de enseñanza-aprendizaje, pero la responsabilidad de los alumnos no exime al maestro de la propia. Y, en último término, en todo proceso de enseñanza-aprendizaje la responsabilidad final sobre el aprendizaje recae en quién es el conductor del proceso y éste es el maestro.

Sólo reestableciendo la responsabilidad global del maestro sobre el proceso de enseñanza, estaremos en condiciones de avanzar hacia un rediseño de la práctica docente capaz de generar los resultados de aprendizajes deseados. De nada sirve poder mostrar innovaciones en el diseño curricular o en las tecnologías pedagógicas en uso si no somos capaces de demostrar que ellas se traducen en un mejoramiento del aprendizaje. De nada sirve escuchar al maestro contarnos todo lo que hace en el salón de clases, si, al final de cuentas, ello no resulta en aprendizaje. No existe otra moneda para establecer el valor de la enseñanza que el aprendizaje de los alumnos.

Lo anterior nos lleva a reconocer que el real título de maestro no es aquel otorgado por las instituciones de educación que lo formaron y, por lo tanto, no es aquel que aparece en su diploma. Quien constituye al maestro es, a final de cuenta, el alumno. Este es quien le otorga al maestro el título de tal. No reconocer lo anterior nos lleva a una interpretación formalista y burocrática tanto del maestro como de la enseñanza. Cuando el alumno dice, «Aprendí y lo hice como resultado de las acciones de pedagógicas efectuadas por la Sra. Esquivel» está diciendo «La Sra. Esquivel ha sido mi maestra. Ella ha sido la fuente de mi aprendizaje».

Es importante advertir que dentro del proceso de enseñanza-aprendizaje emergen varios juicios diferentes de aprendizaje. Un primer juicio es aquel que el maestro debe realizar en relación a sus alumnos y que lo conducirá en último término a calificarlos de una u otra forma y a aprobarlos o reprobarlos en el curso. Un segundo juicio es aquel que hace el alumno al término del proceso de enseñanza y que, en cierta medida, es independiente de aquel efectuado por el maestro. El maestro podrá haber reprobado al alumno y éste puede considerar que su aprendizaje fue enorme. El maestro puede haberle otorgado la más alta calificación al alumno y éste puede considerar que su aprendizaje fue escaso. Entre el juicio del maestro y el juicio del alumno al término del curso, más importa el segundo que el primero en términos de evaluar la enseñanza. No basta que el maestro coloque calificaciones más altas para poder sostener que ha mejorado la calidad de su enseñanza.

Pero éstos no son los únicos juicios que intervienen en la evaluación de la enseñanza y en la consiguiente constitución de la figura social del maestro. El juicio que el alumno hace al término del curso impartido por el maestro es todavía un juicio parcial. Su apreciación del aprendizaje es todavía incompleta. El juicio de mayor importancia será aquel que el alumno hará una vez que se enfrente a los desafíos del dominio de acción en el que se situó la enseñanza del maestro y evalue su capacidad de acción efectiva en dicho dominio. Será entonces donde descubrirá quienes fueron realmente sus maestros y quienes lo fueron menos o simplemente no lo fueron.

Muchas experiencias de enseñanza que durante el período de aprendizaje pueden haber aparecido como muy importantes o poco importantes, pueden ser reevaluadas una vez que el antiguo alumno se siente exigido a demostrar su capacidad de desempeño. Y además de su propio juicio, del juicio efectuado por el practicante en la acción, también interesará conocer los juicios que hagan aquellos hacia quienes las acciones de dichos practicantes se dirijan. Nos referimos a los juicios de sus clientes (sean estos internos, como pueden serlo sus jefes, o externos, si se desempeñan en una organización). Los clientes representarán la voz de la comunidad en la evaluación del aprendizaje producido.

Un último alcance con respecto a los juicios de aprendizaje. Aunque los juicios que importan son aquellos que emitan los sujetos de aprendizaje (los alumnos) y no los maestros, estos últimos no sólo inciden en tales juicios a través de sus acciones directas de enseñanza, sino que puede también diseñar acciones pedagógicas que permitan un mayor o menor reconocimiento de parte de los alumnos de la calidad del aprendizaje que recibieron de parte del maestro. Ello implica que el maestro no sólo debe concentrarse en enseñar o, lo que es lo mismo, en producir aprendizaje, sino también en permitir que sus alumnos sepan y puedan evaluarlo adecuadamente. Muchas veces los maestros generan importantes experiencias de aprendizaje de las cuales no reciben adecuado reconocimiento de parte de sus alumnos. Para tal efecto, recomendamos que, como parte del proceso de enseñanza-aprendizaje, el maestro diseñe experiencias dirigidas fundamentalmente a un adecuado reconocimiento de parte de los alumnos de lo que han aprendido.

Hay múltiples maneras de realizar lo anterior. A continuación sólo mencionaremos algunas. Hemos dicho que el aprendizaje es un juicio en el que se compara la capacidad de acción efectiva de una entidad (e.g. persona) en dos momentos diferentes en el tiempo. A menudo sucede, sin embargo, que por no haberse registrado adecuadamente cuan poco efectivo el alumno era al inicio del proceso de enseñanza, éste termina subvalorando la experiencia de aprendizaje pues asume que parte de lo que termina por saber hacer al final del proceso ya lo sabía al inicio. Es responsabilidad del maestro asegurarse que esto no suceda y que, por lo tanto, se le confiera el crédito que corresponde a sus propias acciones pedagógicas. De la misma manera, muchas veces no se le ofrecen al alumno oportunidades claras al término del ciclo pedagógico para que éste evalúe lo que ahora puede acometer gracias a la enseñanza propocionada por el maestro. Es también responsabilidad del maestro de diseñar experiencias pedagógicas que le faciliten al alumno el reconocimiento de su propio aprendizaje.

Todas las consideraciones anteriores resultan de la premisa inicial de que el aprendizaje valida la enseñanza y, por lo tanto, proporciona el ámbito adecuado para una evaluación de ésta última. Al tomarse en serio esta premisa, se requiere adecuar a ella las modalidades de evaluación de las que haga uso el sistema. Dejamos al lector extraer las conclusiones que resultan de la aplicación de esta premisa al dominio de las modalidades de evaluación pedagógica.

Nos interesa, sin embargo, hacernos una pregunta que creemos imprescindible: ¿qué opciones pedagógicas resultan de la premisa propuesta? Según cómo nos situemos con respecto a ella, surgen dos modalidades pedagógicas diferentes.

La opción tradicional que prescinde del rol validatorio del aprendizaje propone una opción pedagógica en la que la enseñanza se encuentra fundamentalmente centrada en sí misma y que, por lo tanto, hace del maestro el centro o polo de atención. La llameremos la opción pedagógica centrada en la enseñanza. Su principal preocupación es por lo que el maestro hace, por el tipo de acciones que éste lleva a cabo, con una alta prescindencia con respecto al resultado que ellas tienen en los alumnos. Cuando los alumnos son evaluados en su aprendizaje, no existe reconocimiento alguno que ello evalúa simultáneamente al maestro.

No es posible para un sistema educativo prescindir por completo de los resultados de aprendizaje que éste es capaz de generar. Las instituciones de enseñanza son después de todo instituciones de aprendizaje. Su función es enseñar, y se valida sólo en cuanto ello produzca aprendizaje. De allí que la opción pedagógica centrada en la enseñanza y en el maestro esté necesariamente condenada a una evaluación crítica negativa y haya siempre tenido detractores que apuntan prescisamente a la necesidad una opción pedagógica diferente.

Una respuesta de superación de las limitaciones de la opción pedagógica centrada en el maestro ha sido buscar lo que se presentaba como la opción opuesta y proponer una opción pedagógica centrada en el alumno. Se ha hablado entonces de una pedagogía de carácter democrático, fundada en la simetría y reciprocidad de la relación profesor-alumno, en la que ambos maestros y alumnos aprenden de cada uno y en la que el alumno es propuesto como guía y conductor del proceso pedagógico y el rol del maestro es el de un simple facilitador de experiencias pedagógicas, subordinado al liderazgo que el alumno ejerce en el proceso.

Somos críticos de esta propuesta. Consideramos que ella simplemente desconoce el carácter inherente del proceso de enseñanza-aprendizaje. Este no es un proceso simétrico y recíproco. Por el contrario, el proceso de enseñanza está fundado en una asimetría de base que reconoce que tanto maestro como alumno entran en él en condiciones originales e insoslayables de desigualdad: el maestro sabe lo que el alumno no sabe y el procreso de enseñanza se basa y justifica en el objetivo de producir una transferencia de competencias del primero al segundo. Si esta desigualdad de base no existiera la enseñanza simplemente no sería necesaria. Hablar de un proceso de enseñanza simétrico, donde los juicios de cada uno, maestro y alumno, tienen el mismo peso, donde las relaciones son recíprocas, es desconocer las condiciones que constituyen el fundamento de ese mismo proceso.

Lo anterior no niega que el maestro no pueda aprender de sus alumnos. Lo hace y debiera estar abierto a expandir las oportunidades de aprendizaje que surgen de sus interacciones con ellos. Tampoco niega que el maestro debe prestar atención a muchos de los juicios que los alumnos emiten durante y sobre el proceso de enseñanza. Por último, tampoco es posible desconocer el rol activo que al alumno le cabe dentro del proceso y la responsabilidad que le corresponde con su propio aprendizaje. El alumno no entra en el proceso de enseñanza como un paciente entra en la sala de operaciones. El alumno no es un sujeto pasivo en el proceso de enseñanza y su disposición hacia él será decisiva en los resultados de aprendizaje que el proceso genere.

Pero nada de ello es suficiente para desconocer el rol preponderante y conductor que el maestro debe asumir en el proceso. Lo que es necesario es incrementar el sentido de responsabilidad del maestro en el proceso y no su dilución por la vía de entregar al alumno responsabilidades que por sus propias incompetencias no está en condiciones de ejercer.

La opción pedagógica que proponemos no es una opción pedagógica centrada en el alumno. La llamamos opción pedagógica centrada en el aprendizaje. Existe una gran diferencia entre la una y la otra. La segunda no desconoce el carácter inherentemente asimétrico del proceso de enseñanza y el rol conductor que al maestro le cabe en él. Sin embargo, sin poner en cuestión este rol conductor, obliga al maestro a subordinar sus acciones a los resultados de aprendizaje que ellas sean capaces de producir en los alumnos. Ello, de por sí, le confiere a los alumnos un rol muy diferente del que les asigna la opción pedagógica centrada en la enseñanza. Lo que a ellos les sucede y los juicios que emitan sobre el proceso tienen, en este nuevo escenario, un peso muy diferente y representa insumos de la mayor importancia para orientar las acciones del maestro.

La opción pedagógica centrada en el aprendizaje desplaza el centro de gravedad de la práctica docente. Lo desplaza del énfasis que la opción tradicional pone en el maestro y sus acciones pedagógicas, no al alumno como pretende la opción de una pedagogía simétrica, sino a su aprendizaje. Ella acomete además el reestablecimiento del vínculo perdido entre la enseñanza y el aprendizaje.

b. El aprendizaje se traduce en la expansión de la capacidad de acción efectiva

Así como nuestra primera premisa buscaba reestablecer la unidad entre enseñanza y aprendizaje, nuestra segunda premisa busca reestablecer la unidad entre el aprendizaje y la acción. Ambas tienen un efecto combinado, conmutativo, a través del cual se asegura, en último término, el compromiso de la enseñanza con la capacidad de desempeño de los alumnos.

No intentaremos explicar en este trabajo la relación entre aprendizaje y acción efectiva. Lo hemos hecho extensamente en otros documentos. Sólo nos cabe reiterar que tal vínculo sufre una separación crítica como resultado de la expansión de los procesos de aprendizaje por enseñanza, separación que termina generando una importante crisis en las instituciones de enseñanza en la medida que comienza a cuestionarse el valor para la comunidad y el desempeño posterior de los alumnos del tipo de aprendizaje que producen.

A esta crisis se añade una segunda. Esta guarda relación con las transformaciones que sufren el tipo de desempeño que la sociedad de hoy, enfrentada a un fenómeno de cambio permanente y acelerado sin precedentes, comienza a exigir de sus miembros. Lo hemos dicho anteriormente. Hoy no basta con aprender un conjunto de competencias concretas que permiten desenvolverse en dominios específicos y restringidos de acción. Tales competencia enfrenta como destino insoslayable su inevitable y rápida obsolecencia. La sociedad de hoy está demandando de un nuevo tipo de competencias, del desarrollo de modalidades de desempeño que nuestras instituciones de educación no acostumbran a proveer.

Se trata de lo que hemos llamado competencias genéricas que, más que proporcionar formas específicas para resolver problemas concretos, ofrezcan capacidad para resolver problemas inéditos y que incluso más allá de ofrecer alternativas de «resolución» de problemas, enseñen a «plantear» problemas nuevos. Se trata de un nuevo tipo de aprendizaje que nos prepare para enfrentar adecuadamente el cambio y la incertidumbre. Debemos transitar de una educación para un mundo estable y para un mundo que pensamos que podemos anticipar en sus desplazamientos futuros, hacia una educación para un mundo en cambio, donde reconocemos nuestras propias limitaciones de anticipación y donde lo que interesa no es sólo saber enfrentar el cambio o navegar con él, sino también saberlo producir y conducir.

Ello abre una nueva perspectiva crítica frente a las opciones pedagógicas tradicionales de las instituciones de educación. La opción predominante podemos llamarla una enseñanza basada en contenidos. En rigor, se trata de una enseñanza basada en soluciones. Hablamos de contenidos cuando aquello que se enseña está basado en interpretaciones y propuestas de solución a problemas pre-definidos que son dados por sentados y, cuya formulación y la evaluación de la misma no es incluída como parte de lo que se enseña.

La enseñanza basada en contenidos busca resolver problemas pre-existentes. Pero no problematiza el problema. No se pregunta, por ejemplo, por qué tal situación es considerada problemática, la posibilidad de plantear (formular) el problema de una manera diferente o la posibilidad de declarar problemas nuevos. Se trata de una opción muy efectiva cuando una comunidad tiene consenso sobre los problemas que la aquejan y ellos tienen estabilidad en el tiempo. Bajo esas condiciones, lo que importa es resolverlos. Pero ello no es lo que acontece en un mundo en cambio acelerado como el que tenemos hoy. En él, no sólo las soluciones devienen obsoletas, también se hacen obsoletos los problemas. Aquí es necesario es necesario estar permanentemente reformulando y desprendiéndose de los problemas del pasado, encarando problemas nuevos pero, por sobretodo, inventando los problemas del futuro.

La opción de la enseñanza basada en contenidos, se caracteriza por reproducir la separación entre la formación y la acción, entre el aprendizaje y el trabajo. Uno puede aprender primero las interpretaciones y soluciones que se enseñan, para luego, fuera del ámbito del aprendizaje, aplicar en el trabajo los conocimientos aprendidos. No es necesario integrar teoría y práctica.

Gran parte de lo que enseñamos y de lo que se nos enseña tiene precisamente estas características. Se trata de un conjuto de soluciones a problemas pre-establecidos. El formato es el siguiente: «Al enfretarse el problema X, procédase haciendo a, b y c». El real problema que nos impone el mundo de hoy, sin embargo, es que no podemos anticipar el tipo de problemas que enfrentaremos en el futuro, aunque si podemos anticipar que serán muy diferentes a los que enfrentamos en la actualidad.

Uno de los problemas que con mayor agudeza encaran hoy en día nuestras instituciones de educación superior reside en que preparan a profesionales para un mundo que ya dejó de ser cuando éstos deben desempeñarse como tales. Una vez que terminan su educación, descubren ser competentes para resolver los problemas de un mundo que ya dejó de existir. Pero ello no es todo. Ese tipo de profesional se considera desarmado e inútil cuando tiene que enfrentar un mundo que no le define el problema de antemano o cuando lo confronta con problemas para los cuales no ha estado previamente preparado.

La opción pedagógica que postulamos es una que se sustenta en una enseñanza basada en capacidad de desempeño. Ello implica reestablecer, desde la enseñanza, el vínculo entre el aprendizaje y el mundo de la acción y del trabajo. En el mundo de hoy la capacidad de acción efectiva requiere volver a tomar un rol decisivo y guía en los procesos de enseñanza. Lo que importa en la formación de profesionales, no es cuanto saben, ni qúe títulos han alcanzado, sino qué pueden hacer con lo que saben. Lo que interesa no es el caudal de conocimientos adquiridos sino la capacidad de conversión de tales conocimientos en acción efectiva en el mundo concreto de hoy y, de manera todavía más importante, en el mundo de mañana. La educación de profesionales debe dirigirse no sólo a enfrentar los problemas del presente, que pronto estarán superados, sino por sobretodo los de mañana, que todavía no conocemos.

Para responder a este reto, no podemos aislar por completo a nuestros alumnos del mundo con el propósito de formarlos, debemos también integrarlos al mundo y enseñarles, como parte de su aprendizaje, a navegar con competencia en él. Como lo hemos señalado con anterioridad, más que conocimientos y contenidos específicos debemos enseñarles a desenvolverse adecuadamente en un entorno cambiante e incierto. Ello no puede hacerse de mantenerlos aislados del mundo en el que tendrán que navegar, de la misma manera como no es posible aprender a nadar sin tirarse al agua. Ello implica importantes desafíos que nos obligan a rediseñar nuestra práctica docente.

Sin embargo y tal como lo planteáramos con anterioridad, no basta con transitar de una enseñanza basada en contenidos y conocimientos acumulados a una enseñanza que coloca el énfasis en la capacidad de desempeño. El tipo de desempeño que demanda el mundo de hoy es diferente del que se requería en el pasado. Para desenvolverse adecuadamente hoy en día se requiere aprender aquellas competencias genéricas a las que apuntábamos arriba. Se requiere desarrollar determinadas habilidades, actitudes y valores que equipen a nuestros futuros profesionales de competencias para navegar en turbulencia y poder encarar desafíos no anticipados.

Nos hemos referido ya a este tipo de competencias genéricas. Hemos hablado de la importancia de mejorar la forma como nos comunicamos con lo demás y como diseñamos diferentes tipos de conversaciones para encarar situaciones diversas. Entre estas conversaciones, por ejemplo, destacan aquellas que nos conducen a generar nuevas posibilidades y a reformular la manera como observamos el mundo, las conversaciones de carácter estratégico a través de las cuales diseñamos la manera como nos posicionamos en nuestro entorno. Incluímos también las competencias que nos permiten trabajar en equipo, formular problemas, tomar decisiones y movernos hacia la acción garantizando resultados efectivos. Una de las competencias genéricas más importantes, sin embargo, guarda relación con aprender a aprender y prepararnos para el desarrollo de capacidad de aprendizaje autónomo.

Una ensañanza basada en desempeño obliga a que los alumnos se desempeñen en forma diferente en su proceso de aprendizaje. Obliga a modalidades de enseñanza y de aprendizaje muy distintas. Independientemente de los contenidos tradicionales que requieren impartirse, surge ahora nuevos contenidos asociados con estas nuevas competencias. Pero, por sobretodo, estas nuevas competencias requieren de modalidades de enseñanza y aprendizaje diferentes a las tradicionales. Son ellas, más que los contenidos, las que permitirán la emergencia de profesionales de nuevo cuño. Estas competencias genéricas sólo podrán adquirirse en la medida que sean requeridas y desarrolladas por las nuevas prácticas pedagógicas.

Es en el propio proceso de enseñanza-aprendizaje que los alumnos deben aprender a comunicarse mejor, a diseñar conversaciones diferentes, a trabajar en equipo, a levantar problemas, tomar decisiones y generar acción efectiva. Ello significa enseñarles de manera muy diferente a lo que estamos acostumbrados y plantearles tareas, exigencias y modalidades de evaluación, que desarrollen estas competencias y los prepare para el mundo que los espera.

Ello obliga a una profunda modificación de nuestras prácticas docentes y establece una relación profesor-alumno diferente en la que ambos tienen responsabilidades muy distintas de las que asumían en el pasado. Ello exige de parte del alumno un mayor compromiso y responsabilidad con su propio aprendizaje. Pero la responsabilidad que eso ocurra y se mantenga es del maestro. Este abre el proceso de enseñanza-aprendizaje al alumno y lo invita a compartir responsabilidades que antes reservaba para si, pero no por ello deja su rol de conductor y responsable final.

Tal como planteábamos recientemente, las nuevas modalidades de enseñanza no sólo deben asegurar el aprendizaje de los alumno sino también el aprendizaje de como aprender con mayor autonomía, cuando el recurso del maestro deje de estar a la mano. El alumno debe llegar al final del proceso no sólo sabiendo más, sino también habiendo aprendido a desempeñarse adecuadamente frente a situaciones nuevas con independencia del maestro. El proceso de enseñanza requiere estar comprometido con la disminución progresiva de la necesidad del maestro. Ello le significa al maestro enseñarle al alumno a caminar sin él.

c. El reconocimiento del carácter conversacional del proceso de enseñanza-aprendizaje

La tercera premisa que ilumina nuestras opciones pedagógicas, guarda relación con el reconocimiento explícito y su uso en términos de diseño del carácter conversacional del proceso de enseñanza-aprendizaje. Si nos preguntamos cómo se lleva a cabo el proceso de enseñanza-aprendizaje, o como enseña el maestro para producir aprendizaje, debemos aceptar que ello sucede como parte de una conversación. Se trata de un tipo particular de conversación a través de la cual se busca el objetivo de transferir competencias del maestro al alumno. La forma como esto se lleva a cabo es mediante el mutuo hablar y escuchar del maestro y del alumno a través del cual se comparte información, se coordinan diversas acciones y se generan diferentes condiciones emocionales que los envuelven a ambos.

En la conversación de enseñanza-aprendizaje el maestro introduce distinciones, establece relaciones entre ellas, ofrece ejemplos, muestra como el conjunto de distinciones y relaciones presentadas permite observar determinados fenómenos e intervenir en ellos. A partir de ello el maestro presenta también casos concretos que permiten ser examinados desde las distinciones y relaciones y dentro de los cuales los alumnos pueden ahora actuar. Entrega instrucciones, emite juicios, pide correcciones en las acciones ejecutadas y vuelve a emitir juicios sobre el desempeño de sus alumnos. Cuando sus alumnos exhiben dificultades para seguir sus instrucciones y para actuar de manera efectiva, el maestro abre nuevas conversaciones para detectar los obstáculos, que normalmente se traducen en juicios y emociones, que puedan estar interfiriendo con el aprendizaje.

Los alumnos no se limitan a escuchar y seguir las instrucciones del maestro. Estos comparten la forma como hacen sentido de lo que el maestro dice, preguntan lo que no entienden y les impide alcanzar interpretaciones que les sean coherentes, ofrecen sus propias interpretaciones y cursos posibles de acción frente los problemas o casos que les presenta el maestro, comparten sus propios juicios y reaccionan emocionalmente a cada uno de los pasos del proceso con lo cual comprometen la manera como enfrentarán los pasos siguientes.

Todo esto configura un proceso conversacional. La conversación en juego, sin embargo, no es sólo aquella que todos los presentes oyen y que una grabadora pudiera grabar. En este proceso conversacional también participan e intervienen de manera significativa las conversaciones privadas de cada uno de los agentes del proceso: el maestro y los alumnos. Existen, por lo tanto, conversaciones públicas y conversaciones privadas y dentro de ellas las hay también de muy diferente tipo. La conversación mediante la cual el maestro introduce distinciones y relaciones es de un determinado tipo, diferente de aquella en la que da instrucciones para realizar algún ejercicio, o de aquella en la que aclara dudas o responde a preguntas, o de aquellas que llevan a cabo los alumnos dentro del propio ejercicio, o de aquellas a través de la cual el maestro evalua el desempeño exhibido por sus alumnos, por sólo mencionar algunas de las conversaciones relevantes que suelen darse en el proceso de enseñanza-aprendizaje.

Siendo éste un proceso conversacional podemos sostener que la efectividad de la práctica docente, la capacidad que tenga de producir aprendizaje, depende de cuan adecuadas sean las diversas conversaciones que constituyen el proceso. Saber enseñar significa saber tener conversaciones que producen aprendizaje en otros. El desempeño del maestro dependerá de sus competencias conversacionales para producir resultados de aprendizaje.

No importa que modalidad pedagógica se adopte, el proceso de enseñanza-aprendizaje será siempre de naturaleza conversacional. Esta no es una materia de opciones. Sin embargo, una vez que la naturaleza conversacional de la práctica docente es reconocida, podemos distinguir entre opciones que incorporarán en mayor o menor grado este reconocimiento o que, simplemente, enfatizarán más o menos las dimensiones conversacionales del proceso.

Ello nos conduce nuevamente a distinguir entre diferentes opciones pedagógicas. En un extremo, podemos hablar de una opción de enseñanza basada en la capacidad del maestro de transmitir lo que sabe por la via de «dictarlo» y que los alumnos «tomen nota» de lo dicho. La llamamos la opción de enseñanza instruccional. El maestro en lo fundamental se limita a relatar, explicar y dar intrucciones sobre lo que los alumnos deben hacer. Luego evalúa cuanto los alumnos han absorbido de lo que él ha dicho. Aprender es equivalente a memorizar y repetir lo dicho por el maestro. En la opción de enseñanza instruccional se minimizan las diferencias entre lo dicho por el maestro y lo aprendido por el alumno. Casi no hay distorciones y si las hay, se trata de reducirlas a un mínimo. El alumno busca replicar al maestro.

Repetir pareciera ser una forma de aprendizaje por imitación y de alguna forma lo es. Pero hay una diferencia importante entre el repetir dentro de la enseñanza y el imitar en la modalidad de aprendizaje por imitación. En este último, se imita una práctica de primer orden, se imitan acciones que generan directamente resultados prácticos. El repetir que se produce dentro de la enseñanza se orienta a una práctica de segundo orden en la que normalmente enseñanza se ha separado de aprendizaje y aprendizaje se ha separado de la acción efectiva. Por lo tanto, repetir lo que el maestro dice no necesariamente se traduce en acción efectiva relevante.

La opción que defendemos es diferente. La llamamos opción de enseñanza conversacional o dialogante. Ella se funda no sólo en el reconocimiento explícito del carácter conversacional del proceso de enseñanza, sino también en el reconocimiento que la pretención que el alumno pueda replicar lo que el maestro sabe y dice es una falacia. La manera como el alumno escucha y le confiere sentido a lo dicho por el maestro, nunca será del todo equivalente a la forma como el maestro le confiere sentido a lo que dice. Existe entre el hablar del maestro y el escuchar del alumno una brecha imposible de eliminar. El aprendizaje del alumno siempre se realizará desde una historia y un núcleo de inquietudes diferentes a las que caracterizan al maestro.

La opción de enseñanza conversacional está consciente de lo anterior y busca volcarlo a favor de la propia experiencia de aprendizaje. Busca que las diferencias inevitables entre el maestro y el alumno se manifiesten, emerjan a la superficie y no queden ocultas dentro del proceso de enseñanza-aprendizaje. Al hacerlas explícitas, busca trabajar sobre ellas. Esta opción reconoce que no basta con desconocer que estas diferencias existen para hacerlas desaparecer. Ellas estarán allí y no pueden sino hacerse presente en la experiencia de aprendizaje. Lo que interesa por lo tanto es revelarlas.

Pero al permitirle al alumno hablar y relacionarse con la experiencia de enseñanza desde su historia, sus inquietudes y sus proyectos de vida, se permite que su experiencia de aprendizaje se enriquezca. Lo aprendido se relacionará con su vida, sus intereses y sus opciones personales de una forma más profunda y duradera. Lo enseñado por el maestro tiene la posibilidad de calar más hondo en aquello que al alumno realmente le importa. Por otro lado, al permitírsele al alumno una participación más activa y dinámica en el proceso de enseñanza se asegura además un nivel de motivación, responsabilidad y compromiso con su aprendizaje que la opción instruccional no siempre puede alcanzar. Ello transforma el rol del alumno dentro del proceso de enseñanza-aprendizaje.

Esta modalidad de enseñanza tiene muchas otras ventajas para el alumno. Una de las más importantes es que favorece su autonomía y limita el tipo de dependencia y subordinación frente al maestro. Ello, de por sí, contribuye al desarrollo de competencias genéricas que el mundo demandará de él. Con la aplicación de la opción de enseñanza conversacional el salón de clase se parece más el tipo de situaciones que uno puede encontrar en el mundo del trabajo. Ello, no sólo porque la opción conversacional exige muchas veces traer al salón de clases casos similares a los que se encuentran fuera de las aulas para así motivar el diálogo y la discusión, sino porque en el mundo que tendrá que enfrentar el alumno estará plagado de opiniones diversas y dispares, como las que posiblemente emergerán al abrirse el espacio de la conversación, el diálogo y el debate al interior de la enseñanza.

El maestro también se beneficia de esta modalidad de enseñanza. Al conferirle al alumno un mayor espacio para manifieste y despliegue su relación con los temas y problemas asociados con aquello que se enseña, el maestro logra disolver una zona que de lo contrario le será ciega: la forma como el alumno está haciendo sentido y uso de lo que él enseña. Ello le permite evaluar su propia enseñanza durante su transcurso y corregir la forma como enseña para asegurar el tipo de aprendizaje que busca generar. Se asegura que la brecha con el alumno no crezca hasta hacer imposible el aprendizaje. Ahora poseerá múltiples otras oportunidades para reducirla. Para poder hacerlo tiene que identificar la existencia de la brecha y la mejor forma de hacerlo es permitiéndole al alumno que participe más activamente en el proceso de enseñanza y, al hacerlo, revele desde donde está escuchando y cuando se extravía del camino del aprendizaje.

Efectuar el tránsito de la opción pedagógica instruccional a la conversacional no es algo trivial. Ello exige del maestro nuevas competencias, disposiciones distintas y lo enfrentará con un conjunto de nuevos desafíos a los que posiblemente no estará acostumbrado. Al comienzo cabe esperar que se sienta inseguro.

Aparentemente es más fácil enseñarle a alumnos pasivos y sumisos que se restringen a tomar notas y memorizarlas, que enfrentar a alumnos activos, sin temor a manifestar sus dudas y preguntas, dispuestos muchas veces a cuestionar lo que el maestro sostiene. Es aparentemente más fácil preperar una clase donde el maestro sabe todo lo que va a decir y donde uno logra predecir lo que va a suceder en la medida que el maestro es el actor no sólo principal, sino casi exclusivo de la experiencia de enseñanza, que abrir una dinámica que el maestro no controla del todo y que abrirá caminos difíciles de predecir con anterioridad.

Todas estas dificultades, sin embargo, en la medida que el proceso sea conducido adecuadamente, favorecerán el aprendizaje. Y aunque se trate de una modalidad de enseñanza algo más compleja, no olvidemos que ella se valida no por la comodidad del maestro, sino por el aprendizaje de los alumnos.

2. Hacia una concepción holística de la enseñanza

Una de restricciones más importantes de nuestra tradición de enseñanza occidental ha sido la preponderancia que ésta le ha concedido a los aspectos racionales o intelectuales. Ello se ha traducido en prestar atención casi exclusiva a las estrategias explicativas dentro de la práctica docente, que privilegian el criterio de verdad como recurso pedagógico, y a la importancia concedida a los aspectos lógicos en el diseño curricular. Es innegable que estos son aspectos importantes y de gran incidencia en el aprendizaje y de ninguna manera estamos postulando que deban ser sacrificados. El problema que surge de esta preponderancia lógico-racional es que a menudo nos ha distraído de la importancia que poseen otros aspectos.

Hemos reiterado insistentemente en este documento uno de estos aspectos relegados muchas veces a un segundo plano: el involucramiento práctico del proceso de enseñanza en el manejo de asuntos concretos de la vida real y el trabajo. El énfasis en las dimensiones lógico-racionales ha reforzado la separación entre el aprendizaje y la acción.

Otros aspectos relegados a un segundo plano son los emocionales. Sobre este tema nos hemos extendido largamente en otro documento, destacando el papel que juegan dentro del aprendizaje tanto el contexto emocional desde el cual se imparte la enseñanza, como el contenido emocional específico de ésta. Hemos sostenido que las emociones que definen el proceso de enseñanza-aprendizaje son determinantes de los resultados de aprendizaje que puedan ser logrados. No insistiremos nuevamente sobre ello.

Queremos, sin embargo, hacer algunos alcances adicionales que guardan relación con otros aspectos que inciden en la efectividad de la enseñanza. El primero que queremos destacar se refiere al reconocimiento que no todos los individuos tienen los mismos estilos de aprendizaje. Algunos privilegian el peso de determinados órganos sensoriales por sobre otros y reaccionan mejor, por ejemplo, a estímulos visuales o auditivos. Diferentes personas suelen desarrollar también distintas prácticas o hábitos de estudio y de acuerdo a ellos diferentes estrategias de aprendizaje. Hay también individuos más o menos capaces para abrirse a diferentes niveles de abstracción a los que pueda recurrir la práctica docente. Se ha demostrado también que hay diferencias que resultan del predominio que cumplan en el aprendizaje en nuestros dos hemisferios cerebrales, el derecho y el izquierdo. Otras diferencias han sido relacionada con el género de los alumnos. Podrían mencionarse múltiples otras.

Muchas veces estas diferencias se registran no sólo entre individuos sino entre grupos sociales distintos. Por lo tanto, resulta importante considerar estas diferencias según nuestra particular audiencia de alumnos y definir correspondientemente nuestras estrategias de enseñanza. Pero incluso en audiencia de alumnos relativamente homogéneas, seguiremos encontrando importantes diferencias individuales. Ello recomienda que el maestro no restrinja su estilo de enseñanza a un número reducido de estilos de aprendizaje y que, por el contrario, mantenga un rango suficientemente amplio de recursos pedagógicos que permita un fácil acceso de alumnos con estilos de aprendizaje diferentes.

Lo anterior se ve reforzado por diversas investigaciones que demuestran las ventajas de adoptar estrategias de enseñanza de carácter holístico o globalizante, que cubren un amplio espectro de recursos pedagógicos. Se ha demostrado, por ejemplo, que alumnos que no son capaces de contestar ciertas preguntas sobre algunos propiedades del salón de clase, si pueden hacerlo bajo hipnosis. Ello demuestra que registramos mucho más que aquello que somos capaces de reconocer concientemente y, por lo tanto, cabe suponer que exista un potencial de aprendizaje que al concentrarnos en las dimensiones lógico-racionales de la enseñanza no estemos aprevechando plenamente.

Siguiendo esta línea de exploración, se ha demostrado que al ampliarse el registro de estímulos de enseñanza, incorporando elementos ergonómicos que se preocupan, por ejemplo, por la comodidad del cuerpo en la silla, algunas prácticas respiratorias, la introducción de mayores estímulos visuales que incluyen el color, estímulos auditivos que incorporan música y se preocupan por el ritmo de las presentaciones orales, el diseño espacial del salón de clases y la manera como sitúan dentro de él el maestro y los alumnos, etcétera. se produce un efecto combinado de estímulos mediante el cual se logra incrementar sustancialmente el aprendizaje. Ello, a la vez, expande las posibilidades para personas con estilos de aprendizajes diferentes. Todos éstos son aspecto que creemos importantes a ser considerados por los maestros al buscar rediseñar su práctica docente.

México, 1996

149

IV
LA ESCUCHA

tema de la escucha lo he tratado detalladament
ıgares. Hay un capítulo de mi libro *Ontología del* ı
ı a él. Hoy, sin embargo, vuelvo a este capítulo y ɑ
que no me siento a gusto, pues siento que no me ı
ısidero incompleto y, en muchos aspectos, ambi
ıto y poco útil. Fue escrito hace unos catorce añ
entaba mi primer esfuerzo por acometer un aboı
ı sobre el tema. Desde entonces, he retornado a
ʃmeno de la escucha en múltiples oportunidadɩ
ı, he ido introduciendo nuevos ángulos de obsɩ
ıciendo aspectos que antes me pasaban comp
ırcibidos.

ɩl presente trabajo da cuenta del estado actual de m
este importante tema. No descarto que, como pɑ
ı, en el futuro retorne algunas veces más a él y ɩ
ıás me sienta obligado a producir un nuevo trabajɩ
ı, corrija o amplíe lo que hoy sostengo. Personaʃ
problemas en contradecir lo que he mantenido ɑ
. de los procesos de aprendizaje que la vida nos prɩ
brirme equivocado es una manifestación de que eɕ
sigo creciendo. No tengo problemas en reconocer]
es que me he contradicho en el curso de mi vida. E.
contradecirse le pertenece a los testarudos, a los
lizaje y a los muertos. Quienes se contradicen, mu
paces de escuchar.

competencias más importantes en un ser huma
e la escucha, construimos nuestras relaciones pers
mos la vida, nos proyectamos hacia el futuro y def
pacidad de aprendizaje y de transformación del r
un papel determinante tanto en nuestra capaci
satisfacción en la vida como en asegurar altos
idad en nuestro actuar.

hay mejor indicador de la calidad de una relación
mo evaluamos la escucha que en ella se produce, s
ón personal o de trabajo. Si alguien nos dice, "Mi
cucha", "Mis hijos no me escuchan", "Mis padres
, sabemos que esas relaciones están deterioradas.
uien sostiene, "Mi jefe no me escucha", "Mis cole
an", etc., sabemos que ello nos anuncia bajos niv
o y, muy posiblemente, un nivel muy bajo de satis
ajo. Pero hay más que eso. Es muy posible que es
omprometiendo el sentido de vida y la dignidad p
ona que sostiene no sentirse escuchada. Tras ese r
que lo hace pareciera estar sosteniendo algo bastar
"Tengo la sensación de que no le importo a los de

mos no tener problemas en apuntar con el ded
ostener que no nos escuchan. Pareciera que el pro
llos. Nos asignamos en ello una participación mu
suele limitarse a que "no nos sabemos hacer esc
las las personas que llegan a nuestros programas
a de que nosotros las ayudemos a resolver este pro
nseñemos a hablar de una forma tal que garantio
cucha de los demás y una mayor capacidad para
os. No negamos que ello pueda lograrse. Sin em
s que la manera de alcanzarlo sea de la manera co
a quien declara el problema.

ite escuchado, normalmente tampoco sabe escu
. El problema no es necesariamente del otro. El
ı la relación. Para avanzar en su resolución, sin
ispensable comenzar trabajando con la propia e
no se siente escuchado. Ese es el punto de partic
el proceso de aprendizaje desde allí, es muy posil
ıos llegar muy lejos. Todo lo demás, de producirs
ıadidura". El cambio del otro será el resultado c
ı cambio. Lograremos que nos escuche una vez
ɔrendido primero a escucharlo mejor y luego que
ın aprendido a hablarle de una manera diferente
ilizamos. Para bien o para mal, éste es el camino ı
ı y efectivo. Por lo demás, no sé si existe otro.

ıo dicho me trae a la memoria uno de los testim
l de uno de nuestros programas de formación,
ıaestra de la Universidad Católica de Brasilia. A
ıstros programas solemos pedirles a los particip
n su experiencia de aprendizaje. Esa maestra noς

Debo confesarles que yo llegué a este programa
na pesada cruz. Durante años había estado luch
ue mi marido se comportara de manera diferent
na de las luchas principales en mi vida, lucha en
esgastaba todos los días y a partir de la cual acum
ran frustración.
ero una vez acá, ustedes me hicieron ver que lo n
ınte era cambiar yo misma. Solté por lo tanto a ı
inicié un proceso de aprendizaje con respecto a
ue me ha conducido por una senda que antes ja
ɔnsiderado posible.
Hoy me observo y les confieso que no me reco
esempeño en la universidad es completamente di

lecen aprendizajes que antes yo era incapaz de g
los. Las relaciones en mi casa, con mis hijos y mi r
mejorado inmensamente.

o hay algo que me tiene muy sorprendida. Una v
mi obsesión de cambiar a mi marido y me concentr
ia transformación, no sólo cambié yo. ¿Saben lo qu
ibió él! Comenzó a hacerlo cuando dejé de pedírsel

imonios como éste tenemos muchos. Creemos ser
los problemas en los demás, pero nos cuesta rec
ticipamos en producirlos. Es más, tampoco perc
has veces, la mejor manera de intervenir en el c
is cosas que tanto nos molestan en los otros, es
iosotros mismos. Ello sucede por cuanto el cam
importamiento muchas veces conduce a cambic
.miento de los demás. Otras veces, por cuanto n
con los demás resultan de dificultades nuestras n
'or lo tanto, al modificar nuestra actitud para con
ites era un problema, puede dejar de serlo. En
is, el cambio en los demás es iniciado con camb
mismos.

ia valida el habla

a es, sin lugar a dudas, la competencia más import:
cación humana. En rigor, todo proceso comunic:
en ella. Y ello, en primer lugar, por cuanto la e
valida el habla. El habla sólo logra ser efectiva c
n el otro la escucha que el orador espera. Hablam
iados. Éste es el propósito del habla. Si lo que h
ntiende, si digo una cosa y se me escucha otra, m
o efectiva. Si doy una instrucción y se hace alg
de lo que he instruido, el desempeño se compron

·nere problemas en mis relaciones.

·s posible que cante porque me guste cantar. Pero cua
lmente lo hago porque busco ser escuchado. Si no
1estra habla logre concretarse en una adecuada escu
iplemente muestra que no ha sido efectiva. La escu
es el criterio de validación y el indicador de calidad
En este sentido, como podemos apreciar, la escuc
el resultado de la acción del habla; resultado que no
t la efectividad de dicha acción.

ucha como precondición del habla efectiva

1bargo, no es menos cierto que nos encontram
1a no sólo después del habla, como su resultado, s
mento que también precede al habla y que dei
de efectividad que ésta última puede alcanzar. F
ar la escucha del otro, uno de los factores más in
iderar es si aquello que vamos a decir responde a
del oyente[1], a lo que a éste le interesa. Quien hat
·n de lo que le interesa a sí mismo, difícilmente l
1ado. Para que aquello que personalmente me in
1ado por el otro, es indispensable que yo sea capa
il otro que lo que estoy diciendo es también de
; y responde a sus propias inquietudes.

1bra "oyente" pudiera ser objetada pues, en rigor, apunta
a quien escucha. Es cierto. Quizás la palabra más adecu
'escuchador". Pero esta última no es de uso común y no
1cir jerga innecesaria. Optamos, por lo tanto, por usar la pal
1do la salvedad de que sabemos que ella no es, en sentid(

er fundamental haberlo escuchado antes de decir

cir. Sólo escuchándolo puedo saber lo que realm

El que algo me interese a mí, no significa que r

debe también interesarle al otro. A partir de lo

ns cuenta entonces de que la escucha no sólo a

ultado del habla, una vez que ya he hablado, sii

ante también que esté presente antes del habla ș

nducirla hacia una escucha efectiva posterior.

enemos, por lo tanto, que la escucha es tambi

ción del habla efectiva. Ignacio de Loyola rec

o con claridad cuando señalaba que el proceso

ición efectiva implica "partir con la del otro pa

n la de uno". Dicho en otras palabras, es indispe

quello que nos interesa a nosotros, al interion

teresa al otro. Sólo así logramos concitar que

por lo nuestro. De esta manera, ese terminar "

se realiza en una fusión con "la del otro".

e un par de años atrás, recibí la llamada de una p

ijo estar interesada en tomar uno de nuestros ț

o que vivía en Florida, donde yo mismo vivo, le

ra a mi casa para conversar y evaluar juntos si ɛ

a buscando era algo que nuestros programas esta

ies de ofrecerle. Se trataba de un ex directivo de C

ɛ hacía algún tiempo se desempeñaba como coi

iente. Le pregunté cómo se había enterado de

hacemos y me contó lo siguiente:

ıgo llegando de un encuentro en Suecia al que asi

ultores de todas partes del mundo. En un deterr

nento tuvimos que hacer un ejercicio y me corresț

ıjar con una persona que venía de América Latina.

el ejercicio que nos habían propuesto. A poco d
iercicio, yo sentí que algo muy extraño me estab
o que esta persona me decía, tenía un efecto mu
n mí y tenía la sensación de que me tocaba com
as veces me he sentido afectado por la forma cor
ie hablaba. Eso se mantuvo así durante todo el ti
:abajamos juntos. Al final del ejercicio, yo le dije:

- ¿Cómo logras tener tanto impacto cuando ha
siera aprender a hablar como tú. ¿Dónde ap
hablar así?

- Te equivocas si crees que la manera como te
tado tiene que ver con la forma como te hab

- ¿Y con qué tiene que ver entonces?

- Con el hecho de que antes de hablarte te esc
me permitió saber lo que te importa. El secreto
en mi habla, sino en mi escucha. El habla no hiz
seguir a la escucha.

- ¿Y donde aprendiste a escuchar así?

.n ese momento me habló de ti, de los programas q
frecen y me sugirió que, si estaba interesado, te ll
) que he hecho. Así he llegado acá."

har es interpretar

atender el fenómeno de la escucha, es importante
:ión entre el oír y la escucha. Sostenemos que se t
lenos diferentes. Quien cree que escuchó lo que e
.anto puede repetir lo dicho por el otro, sólo cor
que el otro dijo. Pero eso nada nos dice de su es
i pretende que ello demuestre que escuchó, quizá
), demuestre precisamente lo contrario: es muy p
·a escuchado nada.

uchado lo que se ha dicho. Las grabadoras logran
ha dicho, pero tampoco podemos decir que ella
ir nos permite quizás poder repetir lo que alguie
no demuestra que necesariamente hayamos escu
e oír sea, a veces, un requisito para escuchar, per
ición suficiente de la escucha. Para escuchar fal
ital, algo que de no entenderlo nos será simple
: comprender cabalmente el fenómeno de la escu

escuchar, decimos, no basta con oír, es necesari
que el otro dice. Mientras no haya interpretación
La interpretación es el corazón de la escucha. De :
s, aunque no pueden oír, sin embargo logren es
es posible interpretar lo que los demás procuran
misma manera, cuando leemos, aunque no oiga
ntor, logramos escuchar su palabra e interpretar
ecirnos.

ante un tiempo, utilizaba la fórmula "escuchar =
r". Consideraba entonces que ella expresaba ade
que hemos argumentado hasta ahora. Hoy, sin em
reniente desechar esa expresión, pues pienso qu
otros aspectos involucrados en la escucha que v
r. Más que oír, hay en rigor una acción percepti
uy diversas dimensiones.

cción de oír involucra la capacidad de registrar s
s sonidos incluyen elementos muy diversos. L
relación con la capacidad de convertir esos soni
en palabras y frases. Otro elemento muy diferen
l de escuchar la "música" del sonido. Las misma
nismas frases, pueden decirse (en rigor, cantarse) c
naneras. Cada uno de estos elementos, juega un

expresarse con músicas muy distintas, de la misn

ia misma música puede contener palabras muy c

idemás de la acción perceptiva del oír, suele ha

inentes de la percepción presentes en el acto de l

iuy importante es la visión y muy particularmente

: observar la corporalidad del orador. En una com

cara, factores como la postura corporal, la gestuali

ivimientos de las manos y del resto del cuerpo,

piración, pueden ser en ciertos casos más impo:

:tores auditivos, llegándose a situaciones en las c

iamos a nivel corporal desmiente lo que le escu

de lo que oímos.

odos estos factores perceptivos suelen requerir de

iencia y si ello no se logra, la interpretación qu

os se verá correspondientemente afectada. En r

is con todos nuestros sentidos y no sólo con el oí

ito perceptivo incide en la interpretación que reali

la inicial quizás debiera ser corregida de manera d

:har = percibir + interpretar". Si en un cierto mon

lo, mi interlocutor coloca su mano en mi hombro

ello tendrá efectos en la interpretación que haga d

irocura expresarme.²

inuación cito la sección, "El discurso del presidente", del lib

, *El hombre que confundió a su mujer con un sombrero:*

¿Qué pasaba? Carcajadas estruendosas en el pabellór

iamente cuando transmitían el discurso del presidente. Tc

:ado muchos deseos de oír hablar al presidente. Allí est

itador, el actor, con su retórica habitual, el histrionism

nental... y los pacientes riéndose a carcajadas convulsivas. B

s había que parecían desconcertados, y otros como ofendidc

ían recelosos, pero la mayoría parecía estar divirtiéndose mi

lante conmovía como siempre a sus conciudadanos nerc

ιtenderían? ¿Le entenderían, quizás, demasiado bien?

ˌa decirse de estos pacientes, que aunque inteligentes pac
ɔal o receptiva más grave -la que incapacita para entender las
ɔ tales- que a pesar de su enfermedad entendían la mayor
les decía. A sus amistades, a sus parientes, a las enfermeras
bien, a veces les resultaba difícil creer que fuesen afásicos.
ue si les hablabas con naturalidad, captaban una parte o la
ɩcado. Y, normalmente, uno habla con naturalidad.

ɔnsecuencia, el neurólogo tenía que esforzarse muchísiɩ
r que padecían afasia; tenía que hablar y actuar normalmeɩ
ɔdas las claves extraverbales, el tono de voz, la entonación, la i
ɩs indicados, además de todas las claves visuales (expresione;
repertorio personales, predominantemente inconscientes
nar todo esto (lo que podía entrañar ocultamiento de la prɔ
incluso que llegar a recurrir a un sintetizador de voz elec
ɔ de reducir el habla a las puras palabras, sin rastro siquiɛ
ɛ llamó «colorido de timbre» (Klangenfarben) o «evocació
ɩipo de habla groseramente artificial y mecánica (bastante
; ordenadores de Star Trek) se podía estar plenamente seg
ɩtes más sensibles, de que padecían afasia de verdad.

qué todo esto? Porque el habla (el habla natural) no cons;
as ni (como pensaba Hughlings Jackson) sólo en «proposi
en expresión (una manifestación externa de todo el senɩ
ɩropio ser), cuya comprensión entraña infinitamente má
ɩtificación de las palabras. Ésta era la clave de aquella capaɩ
de los afásicos, aunque no entendiesen en absoluto el seɩ
ɩas en cuanto tales. Porque, aunque las palabras, las constrɩ
no pudiesen transmitir nada, per se, el lenguaje hablado su
do de tono, engastado en una expresividad que excede lo
ɩsamente esa expresividad tan profunda, diversa, complej;
mantiene intacto en la afasia, aunque desaparezca la capaɩ
las palabras. Intacto y a menudo inexplicablemente potenɩ
es algo que captan claramente (con frecuencia del mɔ
, cómico o espectacular) todos los que trabajan o viven con ;
ɩ, amistades, enfermeros, médicos. Puede que al principio
ɩucho; pero luego vemos que ha habido un gran cambio,
en su comprensión del habla. Ha desaparecido algo, no hay
estruido, pero en su lugar hay otra cosa, inmensamente potenɩ
ɛ (al menos en la expresión cargada de emotividad) el pacienɩ
ɩnamente el sentido, aunque no capte ni una sola palabra.

la especie Homo Loquens, parece casi una inversión o inci
versión a algo más primitivo y elemental. Quizás sea por est
lings Jackson comparó a los afásicos con los perros (una comp
a ofender a ambos) aunque cuando lo hizo pensaba más que
encias lingüísticas y no en esa sensibilidad tan notable, casi in
iar el tono y el sentimiento. Henry Head, más sensible a es
de «tono-sentimiento» en su tratado sobre la afasia (192
se mantiene, y con frecuencia se potencia, en los afásicos
De ahí la sensación que a veces tenemos todos los que tra
ho contacto con afásicos de que a un afásico no se le pued
o no es capaz de entender las palabras y, precisamente por
e engañar con ellas; ahora bien, lo que capta lo capta con u
ble, y lo que capta es esa expresión que acompaña a las p
sividad involuntaria, espontánea, completa, que nunca se pue
ear con tanta facilidad como las palabras...

Comprobamos esto en los perros, y lo utilizamos muchas ve
ira desenmascarar la falsedad, la mala intención o la intenció
que nos indiquen de quién se puede fiar uno, quién es integ
anza, cuando, debido a que somos tan susceptibles a las p
nos fiarnos de nuestros instintos.

Y lo que un perro es capaz de hacer en este campo, son capace
én los afásicos y a un nivel humano inconmensurablemente s
e mentir con la boca, escribe Nietzsche, pero la expresión qu
palabras dice la verdad". Los afásicos son increíblemente se
sión, a cualquier falsedad o impropiedad en la actitud o l
ral. Y si no pueden verlo a uno (esto es especialmente notor
afásicos ciegos) tienen un oído infalible para todos los mat
el tono, el timbre, el rito, las cadencias, la música, las en
iones y modulaciones sutilísimas que pueden dar (o quitar) v
oz de un ser humano.

En eso se fundamenta, pues, su capacidad de entender..
ilabras, lo que es auténtico y lo que no. Eran, pues, las
onismos, los gestos falsos y, sobre todo, las cadencias y ton
:, lo que sonaba a falsedad para aquellos pacientes sin pa
isamente perceptivos. Mis pacientes afásicos reaccionaban a
recciones e incongruencias tan notorias, tan grotescas incl
s engañaban ni podían engañarlos las palabras.

Por eso se reían tanto del discurso del presidente.

Si uno no puede mentirle a un afásico, debido a esa sensibili
iar para la expresión y el tono, podríamos preguntarnos qu

, aunque conserven intacta la capacidad de entender las ף
de un tipo exactamente opuesto. Tenemos también paciente
pabellón de afasia, a pesar de que, teóricamente, no tenga
el contrario, una forma de agnosia, concretamente la llamada
ín el caso de estos pacientes lo que desaparece es la capaí
cualidades expresivas de las voces (el tono, el timbre, el sent
arácter) mientras que se entienden perfectamente las palab:
:iones gramaticales). Estas agnosias tonales o «aprosodias
 los del lóbulo temporal derecho del cerebro, y las afasias ;
mporal izquierdo.

re los pacientes con agnosia tonal de nuestro pabellón (
chaban también el discurso del presidente se encontrab
:nía un glioma en el lóbulo temporal derecho. Emily D., q
esora de inglés y poetisa de cierta fama, con una sensibilí
para el lenguaje y gran capacidad de análisis y expresió
a situación opuesta: lo que le parecía el discurso del pres
ina con agnosia tonal. Emily D. no podía captar ya si habí
tristeza en una voz... Y como las voces carecían de ex
fijarse en las caras, las posturas y los movimientos de las ף
ablaban y lo hacía dedicándoles una atención, una concer
a les había dedicado. Pero daba la casualidad de que tarr
:ía limitada, porque tenía un glaucoma maligno y estaba pe
tuy rápidamente.

ances descubrió que lo que tenía que hacer era prestar mucha :
preciso de las palabras y de su uso, y procurar que las persc
: relacionaba hiciesen exactamente lo mismo. Cada día que
s difícil entender el lenguaje desenfadado, el argot (el len;
usivo o emotivo) y pedía cada vez más a sus interlocutc
en prosa, «que dijesen las palabras exactas en el orden exac'
descubrió que podría compensar, en cierta medida, la pér
:l sentimiento.

ste modo podía conservar e incluso potenciar el uso del
o» (en el que el sentido lo aportaban únicamente la elecc
:xacta de las palabras) a pesar de que fuese perdiendo la cá
nder lenguaje «evocativo» (en el que el significado sólo vie
se y el sentido del tono).

y D. oyó también, impasible, el discurso del presidente, afror
extraña mezcla de percepciones potenciadas y dismir
ente la contraria de la de nuestros afásicos. El discurs
ó (ya no la conmovía ninguno) y se le pasó por alto todo

n nuestra comprensión del fenómeno del escuch

empo, al interior de la filosofía se ha desarrollad

en torno al complejo arte del entendimiento y la

Se trata de la hermenéutica[3]. Ella nace en sus inio

uerzo por comprender los textos religiosos. Más

nta hacia la adecuada interpretación de las leyes,

izar su adecuada y justa aplicación. Posteriormen

lo para interpretar los textos literarios. Su área de :

oncentrarse especialmente en el estudio de texto

de la palabra escrita.

oco a poco la hermenéutica iba conquistando nuo

y mostraba que era posible aplicarla en áreas muy o

almina ese proceso de conquista al mostrarnos o

nos muchos de los misterios del fenómeno de la

 los suerte, pues al abrir nuestra indagación sobo

conectarla con la hermenéutica, nos encontramo

---

se haber en él de evocativo, genuino o falso. Privada de reacc

nmovió, pues (como a todos nosotros) o la engañó el diso

No es convincente -dijo-. No habla buena prosa. Utiliza las

a incorrecta. O tiene una lesión cerebral o nos oculta algo.

Así que el discurso del presidente no tuvo eficacia en el caso

o a su sentido potenciado del uso formal del lenguaje, de su

prosa, igual que no la tuvo con nuestros afásicos, sordos a

con una mayor sensibilidad para el tono.

Esa era, pues, la paradoja del discurso del presidente. .

iduos supuestamente normales, con la ayuda indudable

de ser engañados, se nos engañaba genuina y plenament

decipi, ergo decipiatur»). Y el uso engañoso de las

inaba tan taimadamente con el tono engañoso que s

n una lesión cerebral permanecían inmunes, desei

orriente filosófica de la hermenéutica se inicia con F.E.D. Sch

-1834). Entre sus representantes incluye destacados filóso

s cabe mencionar a Wilhem Dilthey, Martin Heidegger, l

mer y Paul Ricoeur. Al respecto ver, R. Echeverría, *El búh*

tes en la misma dirección en la que nos colocá
osible, por lo tanto, aprovechar y apropiarnos de
la la hermenéutica. Procuraremos hacerlo, sin en
la jerga filosófica, sin que ello haga de nuestro a
acto y de difícil comprensión.

elacionar el escuchar con la acción de interpretar
er algunas conclusiones importantes. La primera (
nocimiento del carácter activo de la escucha. Si la e
una acción interpretativa, de ello se deduce qu
ne hallo escuchando estoy muy activamente proc
tido de lo que se está diciendo. La escucha no tier
nada de pasivo. A través de la escucha, la palabra d
marcha" un complejo proceso interpretativo de
se encuentra en el rol de oyente.

a medida en que el orador avanza en su hablar, el
ando sentidos; junta lo que el orador dijo en un
e dijo después; relaciona lo dicho por el orador c
xperiencias; evalúa los sentidos que el mismo
anticipa las posibles consecuencias que se deducen
ciones, etc. Se trata de un proceso altamente co
se suceden múltiples acciones interpretativas a m
. Resulta muy interesante examinar el proceso de
una suerte de cámara lenta de manera de poder d
sa riqueza. Cuando lo hacemos, solemos quedar
n, sin embargo, de que es tal su complejidad, que
pasa se nos escapa.

este proceso interpretativo que está involucrado
se pone de manifiesto el carácter histórico de lo
Toda interpretación se realiza desde un pasado.
ción de sentido que remite tanto a nuestra historia

hemos crecido. De esta historia surgen múltiples (

activan en la escucha. Entre ellos hay supuestos, ¡

iniones; hay modalidades de valoración, hay pai

s de conferir sentido, todos los cuales se ponen

roceso interpretativo.

Ino de los grandes méritos de la hermenéutica ha si

ión que nos ha proporcionado de los prejuicios. Pro

juicios eran considerados un obstáculo al conocimio

ueden serlo. Pero hay algo todavía más important

ejuicios nos proporcionan a la vez las condiciones

e el conocimiento y que habilitan la escucha. Todo

nferir sentido nace de nuestros prejuicios. Son ell

rmiten interpretar lo que se nos dice.

odo intento por conferir sentido expresa una vo

ad. Desde las primeras palabras que oímos (o qu

imos una presunción global sobre el sentido c

os que busca expresarse. En la medida en que

o se despliega, ajustamos tales sentidos en la m

oramos elementos que antes estaban ausentes

cando los sentidos globales originales. Pero tod

e sentido echa mano de nuestros prejuicios. Sin

no no nos es posible desprendernos de ellos, es ir

ler a soltarlos y conferirle de este modo fluidez y

o transformación a nuestra capacidad de escucha

o anterior nos muestra otro aspecto importante (

lla opera en el tiempo. El tiempo es su aliado. En

sa el tiempo, tenemos la capacidad de ajustar nuest

inar nuestras interpretaciones. Mientras transcurre

¡ue una persona nos habla, la escucha está en u

ibio constante, en un fluir permanente. Pero ese

. la palabra oída, a la palabra recordada, para rein
ı descubrir en ella sentidos que en su momento :
de generar. Muchas veces nos sucede que descul
nos) el sentido de algo que en un momento se no
ños más tarde. Entonces exclamamos, "¡Ah, ah!
. estoy entendiendo lo que tal persona me dijo". A
oduzca con retardo, siendo parte del fenómeno
Se trata simplemente de una escucha retardada.

, de la misma forma como en la interpretación em
gando un rol decisivo en las interpretaciones que
e proveer, aparece también el futuro o, para decirlo
que en el presente desplegamos hacia el futuro
des. Escuchamos desde nuestras expectativas, d
deramos "debe" pasar, hasta lo que creemos que
: "podría" pasar. Todo ello configura la "grilla" d
hamos. Pero, así como inciden en la escucha los es
ıos, ella también está condicionada por los espacı
, por lo que excluimos del ámbito de lo posible,
e nuestras clausuras.

vez que hacemos lo anterior es difícil comprende
rmitido que, durante años, se haya desarrollado un
del fenómeno de la escucha utilizando el manido r
r, receptor y mensaje, a través del cual se procura e
sión de información entre seres humanos. Descul
ucha humana no tiene nada que ver con lo que n
lo. Tal modelo le asigna un rol fundamentalmen
ıte, al receptor, a quien está en la posición de "r
e que el emisor le ha transmitido. Se presume q
ıa sido emitido en forma clara y el canal de trans
o, sin interferencias, sin ruidos, el receptor debiera
e tal como éste ha sido emitido.

ɔnes y ha sido muy útil para el diseño de telégraf
ɹos, televisores, etc. Pero, cuando lo aplicamos ɑ
ɹos creamos una gran falacia. A partir de él, creí
importante era el emisor, pues éste era el eleme
celencia del modelo. Concluíamos, por lo tanto,
ɾos ser escuchados, era necesario aprender a habl
amos hablar en forma efectiva, suponíamos que
garantizada. Por desgracia eso no era así. Dich
ɾionaba por completo el fenómeno de la escuchɑ
áquinas reproducen, pero no interpretan. Lo cei
ɹa humana ha sido dejado afuera.

ɾno interpreta lo dicho "a su manera"

ɾento de la interpretación nos conduce a extraer uɾ
sión de importancia. Si nos preguntamos de qué mɑ
terpreta lo que le dicen, debemos reconocer que lɾ
ɾna historia particular (pasado) que nos hace ser en ɾ
ɔ de observador (de intérprete) particular. El sent
ɾimos a lo dicho, remite, por lo tanto, tanto a nuest
ɹl tipo de observador en el que ella nos constituyó.
ɾndizar en esta oportunidad en lo que acabamos dɾ
hecho ya en otros textos[4]. Lo importante que cabe ɾ
ɹa individuo interpreta lo dicho por otro "a su mar

ɾn el fenómeno de la escucha se superponen, po
ɾrizontes de sentido. Por un lado el horizonte de s
ɾ quien, con su palabra, busca crear un puente con
ɾor otro lado, el horizonte de sentido del propio c
ɹa un sentido propio a las palabras del orador. En
ɾgen y se fusionan dos horizontes de sentido,

Echeverría, *Ontología del Lenguaje*, Cap. 1, J.C. Sáez Editor, Sai

compartidos. Pero la tarea no es fácil. De cierto

niento perfecto es una tarea imposible en la me

interlocutor es una fuente autónoma de asigna

.oda escucha está condenada, en el mejor de los

re una "aproximación" al otro. En muchos casos

:e es un desencuentro, un "malentendido". Y no

a forma. El sentido que tanto el orador como el

en a lo hablado, remite inevitablemente a ellos n

sonas diferentes.

ndo en vez de dos interlocutores, disponemos de r

.do los oyentes, por ejemplo, son varios, tendremo:

ciones de las palabras habladas como personas pai

·ersación. Cada una de las personas representa una

) diferente de las demás y cada una hará una interpr

rá nunca idéntica a la que haga cualquier otro. Teno

to, tantas escuchas diferentes como personas estén

istaría que le preguntáramos a cada una de ellas qu

hó, cómo entendió lo que fue dicho y cuál es el sent

i lo que entendió, para que comencemos progresiv

esas diferencias y a distinguir sus abismos. Mientras

:n el sentido que le confirieron a lo que escucharon

que son mayores tales diferencias.

ia como problema: la brecha inevitable

nos permite concluir que el sentido que el oy

i lo dicho por el orador nunca es igual al sentido

·ador le confiere a lo que dice. La escucha, en la i

una interpretación que hacemos de lo que el oti

erá una aproximación, más o menos certera, de lo

. buscado expresar. Pero nunca será más que una

:l sentido que el orador busca expresar y el sentido

nplica, por lo tanto, que siempre habrá una dist
, entre el orador y el oyente.

sta no es una buena noticia. Ello nos muestra que
ensión e identificación entre dos individuos es un
da relación está obligadamente fundada en un su
e, mayor o menor, de malentendidos. Pero, si bier
uena, es buena enterarse de ella, pues nos permite
nos permite hacernos responsables de la brec
te en toda comunicación, de manera de garantiz
a un espacio viable de coordinación de acciones
e por destruir la relación. Siempre existirá una br
podemos cuidarla, podemos tomar acciones par
convierta en un precipicio que termine por traga

on muchos los que descubren esta brecha cua
iado tarde, cuando las distancias se han hecho ir
o las relaciones están irreparablemente dañadas. I
ler con claridad cómo se produjo el deterioro de l
las diferencias terminaron por imponerse por sob
un principio parecía unir a ambas personas. Se sier
por un proceso destructivo que escapa a sus ca
trol. Terminan en total desconcierto preguntánd
ié, qué pudo haberse hecho, qué fue aquello qu
muchas veces víctimas de una tragedia que no h
r, que nadie fue capaz de advertir a tiempo.

menudo la ilusión de un entendimiento perfecto
estas crisis de relaciones que pagamos con tanto
tanto desperdicio, con tanta destrucción. Sin emb
ueden prepararnos para apreciar lo que hemos seña
ler lo que aconteció y precavernos en el futuro. El
echa existe, nos advierte, nos coloca en guardia, n

ntas fundamentales para hacernos cargo del pro
plantea. La primera de ellas es aprender a respo
s que inevitablemente surgirán en toda relació
piensan que en una buena relación las diferenci
Ello no es efectivo. Una buena relación es aque
nejar las diferencias desde el respeto. Ésa es su re
ro podemos hacer algo más y recurrir a nuestra so
nta. En la medida en que reconocemos la existe:
na, podemos también hacernos cargo de ella, hac
monitoreo y gestión de la brecha y procurar que
roporciones críticas. El respeto por las diferenc
bilidad que desarrollemos por reducir la brecha
les herramientas de que disponemos para enfre
. de la escucha.

econocimiento de la existencia de la brecha nos p
nto, hacernos responsables de la escucha. Suced
on el fenómeno de la escucha. Cuando lo obsei
nción por primera vez, no podemos dejar de rec
go profundamente inocente en su despliegue. La e
que "hagamos", la escucha nos sucede sin que po
n un sentido o en otro. La gente dice lo que dice y
chamos lo que escuchamos con total inocencia. N
s espontánea, no está guiada por nuestras intencio
cimos". Simplemente nos pasa que escuchamos
nos. Y si alguien quisiera culparnos por nuestra es
amos problemas en reivindicar la inocencia de
sado.

embargo, una vez que avanzamos en nuestra cor
fenómeno de la escucha, una vez que reconc
n él está implicado, inevitablemente perdemos 1
inicial. Descubrimos en ese momento que la e

ıenzamos a reconocer el poder destructivo –dir
ıcamente destructivo– de esta brecha. Pero en e
nto, lo que perdemos en inocencia, podemos g
ɔ de responsabilidad. Mi escucha previa podrá l
ıte. Ya dejó de serlo. La inocencia está ahora y pai
a. Sabiendo que la brecha existe, ahora estoy c
ne responsable de ella. En la medida que lo ha
ıvitar el infierno. Los inocentes, en este dominio, ı
n al cielo. Son los que tienen mayor probabilidad
ınfierno. Al cielo accederán los que, a partir del f:
ımiento sobre este fenómeno, logren hacerse res
ırecha que han descubierto.

ıs herramientas básicas para reducir la brecha

ho hasta ahora nos muestra que la escucha nos ⲣ
ma a resolver, nos obliga a encarar un desafío.
ɔs términos, podemos decir que nos convoca a u
endizaje. Se trata, en rigor, de un aprendizaje qu
ıl menos en dos niveles diferentes. El primer ı
ıperficial, consiste en identificar algunas accione
detectar la brecha a la que hemos aludido, recono
allí buscar su reducción. Estamos hablando de
ugares hemos llamado un aprendizaje de primer
lizaje dirigido directamente al nivel de la acción.

ʾl segundo nivel es sin duda mucho más impoı
ıso, no se trata de ampliar nuestro repertorio de
ɔucedía en el nivel anterior. De lo que se trata es dɩ
dical transformación del observador que hemos
frente al fenómeno de la escucha, de manera de g
ʾlimiento diferente y, desde allí, producir capacida
ʾa intervenir en él. El problema de la escucha al q

vador y, por lo tanto, de un aprendizaje de segui
guna receta, ninguna acción concreta, aunque ú
suficiente para hacernos cargo del desafío que

que insuficientes, hay sin embargo algunas ac
s a las que podemos recurrir y que pueden ser
A continuación mencionaremos tres acciones (
ata de:

erificar escuchas.
ompartir inquietudes.
ndagar.

referiremos a ellas en ese mismo orden. Es muy
os, una vez que las presentemos, las encuentren (
cubran que las practican en diversas oportunidac
trata es de habituarnos a un uso sistemático de (

ficar escuchas

a medida en que reconocemos el problema de la
erente al fenómeno de la escucha, es important
él y no suponer que por yo haber dicho lo que dije,
mente interpretó lo que he dicho tal como yo es
interpretado. No importa cuán claro crea que he
sentido puede haberse producido. Lo que aconse
nto, es verificarlo. La verificación puedo hacerl
stoy en la posición del orador, como cuando esto
oyente.

e sido el orador, puedo pedirle a mi oyente que,
lo que me interesa no es que repita lo que yo he dic

s palabras" es muy importante. Sólo así tengo pos

r a su interpretación de lo que yo he dicho y no a l

le decía. Si se limita a repetir "mis palabras" no sa

rpreta y por tanto lo que, a partir de ellas, escucha

i yo estoy en la posición de oyente, es muy impo

olle una capacidad para sospechar de mi propia es

e sienta que lo que el otro dijo hace sentido, ello sig

ido que he conferido a sus palabras sea el adecua

o que el orador busca expresarme. Lo que estamo

la verificación de escucha no sólo es pertinente c

eguro de entender, sino que suele ser igualmente

o creo estar seguro de entender. Para asegurarme

escuchado es lo adecuado, hago un alto en la cor

co mi propia escucha. Puedo, por lo tanto, decirle

ta un segundo. Déjame verificar si te entiendo bien.

que me estás diciendo es..." y, en palabras difere

por el orador, comparto con él la interpretacio

do hasta el momento sobre sus palabras.

Iay quienes me objetan que muchas veces no h

alizar esta verificación de escuchas. Evidentemen

orizar y de hacerlo cuando estimamos que la posi

lentendido es mayor, o cuando evaluamos que

as de un malentendido podrían ser serias o ma

po que nos consume hacer la verificación. No s

o con todo lo que se nos dice. Pero hay veces en

os para no gastar tiempo en ello, para luego darn

tiempo perdido como resultado de una escucha

va costos mucho más elevados que aquel de haber

s minutos en verificar nuestras respectivas escuc

adelante profundizaremos en el tema de las in‹
ahora digamos tan sólo que siempre que habla
para hacernos cargo de algo que nos inquieta. Pro
s en nuestra escucha suelen resultar de no saber cι
que conduce al orador a decir lo que dice. Escuc
:e, entendemos lo que significa. Pero no somos ‹
›narlo con aquello que lleva al orador a hablar. Ν
›rador tiene el cuidado, cuando nos habla, de mos·
ud a partir de la cual nos está hablando. Nos di
"Dado que ha sucedido tal o cual cosa, que tieι
:ias, sugiero que...", en ese caso, logramos saber
sugerencia.

› muchas veces, se nos hacen sugerencias (para seg
ejemplo) sin que se nos expliciten las inquietudes
Ello implica que la escucha del oyente no dispoι
lementos claves para generar su interpretación. (
de, cuando la inquietud que conduce al orador a
o presentada, sugerimos, como una forma de a
‹ reducir posibles brechas, preguntar por ella. L
cemos la inquietud, no sólo nos es posible comρ
que se nos ha dicho, también nos es posible evː
ue el orador nos dice representa la mejor maι
r a su propia inquietud o, incluso, más atrás t
la inquietud del orador la consideramos una inc
‹ es descartable que, a partir de los antecedentes
mos, podamos disputar la pertinencia o valideː
del orador.

o esto nos conduce a sugerir que, según el cará
yamos a decir, evaluemos la conveniencia de coι
:nte las inquietudes que nos conducen a decirle ta

arle. Para hacerlo, podemos anteceder lo que d
ar con un "Dado que...". Con ello contribuimo
en la escucha del oyente no se dispare hacia cual
una mayor probabilidad de reducirse.

dagar

Jna de las herramientas más importantes de que
ara reducir la brecha de sentido en nuestra esc
ción. Para ello lo que hacemos es preguntar, es
que se nos proporcione más información de r
de completar, de corregir, lo que hasta el momer
ado. Cuando indagamos lo que en rigor hacemos
la para garantizar una mejor escucha. Con la i
os para escuchar mejor, hablamos con el propós
nos hable más. Si consideramos que nuestra esc
, lo mejor es indagar. Si estimamos que lo que el
o es ambiguo, ello lo resolvemos indagando. Si cr
a lo que el orador ha dicho, caben distintas interpr
mos. El objetivo es siempre asegurar que la inte
rge de nuestra escucha disponga de todos los
ue esa brecha sea lo más pequeña posible.

odemos indagar en múltiples direcciones y de m
neras y ello dependerá de las circunstancias co
versación. Podemos, por ejemplo, preguntarle
el pasado que está incidiendo en lo que nos dice
te y el carácter mismo de lo que nos está hablan
e indagar sobre las consecuencias futuras de las
arecen en juego. En fin, los caminos de la indag
les y cada situación concreta deberá revelar aq
n pertinentes. Lo que realmente importa es el o
ión de la brecha en la escucha. El tema de la i

ite, tratamiento que hemos acometido en otro e

desarrollo de un observador diferente del fenóm
a

ho más importante que las herramientas arriba n
poder profundizar en la exploración del misteri
de manera que nos convirtamos en un observad
este fenómeno y garantizar una mirada que incr
oder para hacernos cargo de su real desafío. Sin des
hasta ahora, debemos declarar que ello sigue siend
Estamos todavía muy lejos de comprender cabalm
o y de penetrar en sus múltiples y misteriosas cap
ste realmente el fenómeno de la escucha?

hemos mencionado que muchas veces llegan pers
programas con la expectativa expresa de que les o
on de persuadir con su palabra a los demás. Cua
es planteado en esos términos, difícilmente tien
hemos dicho antes y volvemos a repetirlo: el secre
n no está, primariamente, en el hablar, sino en la es
er cumplir con la expectativa que esos participante
o mostrarles que antes que logren persuadir a los
ecesario aprender a escucharlos.

ersuasión sólo opera cuando descansa en la capac
el otro. Pues bien, cuando les decimos eso, norma
nden con una contracción en la cara que revela alg
ecepción. Descubren que lo que vamos a enseñarl
o contrario de lo que esperaban. Entienden que les e
que deben aprender a ser persuadidos por los otr
can. Efectivamente, algo de eso conlleva el apre
recemos. Pero una vez que aprendan lo anterior,

pechan es que, a esas alturas, aquellas cosas sobre
querer persuadir a los otros, posiblemente van
ites de aquellas que tenían en mente cuando nos p
pectativas. Y claro. Si entonces sentían que no pe
quizás ello era el resultado de que lo hacían deso
cado y en torno a cuestiones también equivocada

ucha como apertura

tral en la escucha es la apertura. Escuchar es abrii
l forma a través de la cual el sistema que somos e
comportamiento de otros sistemas con los cuale
as fuerzas del entorno en el cual vive. Escuchar
bio por efecto del comportamiento de otros. F
néutico Hans-Georg Gadamer, nos dice:

En las relaciones humanas, lo importante es... exp
'Tú' como realmente un 'Tú', lo que significa no
to su planteamiento y escuchar lo que tiene que dec
ograr esto, la apertura es necesaria. Pero ella existe,
rmino, no sólo para la persona que uno escucha,
ien, toda persona que escucha es fundamentalmen
ona abierta. Sin esta clase de apertura mutua no pue
laciones humanas genuinas. El permanecer junto
gnifica, también, ser capaces de escucharse mutua

fayor será nuestra apertura mientras mayor sea
to de nuestra propia precariedad, de nuestra finit
iones de nuestro horizonte de sentido. Si estamo
sabemos cómo las cosas son o cómo deben hace
eemos la verdad, de que nuestro conocimiento es
o y de que éste no tiene nada nuevo que mostrarn
lograremos abrirnos a él. La apertura requiere, po

:rnos limitados y precarios y, por otro lado, en el :
ı respeto que acepta la posibilidad de que él o ella ʲ
ɔs algo nuevo.

alta de respeto, la no valoración del otro, cierran
ʲe nuestra apertura. La escucha requiere que le c
:ro algún grado de autoridad para mostrarnos al
ente no vemos o no sabemos. La escucha desca
ción del valor del otro. No es de extrañar que qu
escuchado tampoco se sienta valorizado.

a apertura es siempre relativa. Nuestra apertura nı
Toda apertura supone clausuras y muchas veces
ιar nuestra capacidad de apertura, evaluando la dirr
er de nuestras clausuras, de aquello que excluimos,
:rramos como posibilidad. Ello no es fácil. Desde
ıos tenemos la impresión de que vemos todo lo c
que estamos abiertos a todo lo que pueda suceder.
ıte así. Pero eso solemos descubrirlo cuando las c
ɔs llevan a otros lugares, nos obligan a pararnos en
. Nuestros puntos de vista están condicionados por
ıos paramos. No podemos sustraernos a las coord
ɔria, al espacio y al tiempo, a las posiciones que ocu
:emas sociales de los que somos parte.

ıchar es una de las manifestaciones más claras de ı
l de conectividad con los demás. Un individuo qu
ır tanto una alta capacidad de escucha, como un
a lograr ser adecuadamente escuchado por los de
en una entidad/sistema con alta capacidad de coı
ısecuentemente, con capacidad de afectar positivɛ
ıas en los que participe.

: las facetas más importantes de la conectividad
tamos ir más lejos. Tanto la escucha como la con
nteadas, no son más que un bonito nombre para
ultado. Lo importante es poder identificar las acc
n tal resultado. Para hacerlo es necesario plantear
los siguientes términos: ¿de qué manera podemo
ltado que llamamos escucha en las acciones o con
n capaces de generarlo? Quienes conocen nuestr
vador-Acción-Resultados, se darán cuenta de q
os haciendo es buscar mover el fenómeno del casil
:ados" al casillero de las "acciones". Quienes no
o modelo, no se preocupen pues pueden prescii
e vamos a sostener a continuación no lo requiere

'ara salir del dominio de los resultados, donde ha
. mantenido el fenómeno de la escucha, y mover
de la acción, es necesario entender que la escuc
do) compromete dos tipos diferentes y muy con
es. De lograrse estas acciones, se logra el resultad
ucha). Estas acciones remiten a dos procesos dif
ra: por un lado, la apertura a la comprensión d
ite y, por otro lado, la apertura a la transformación
naremos cada uno de ellos por separado.

ipertura a la comprensión de un otro diferent

nunicación suele operar con relativa efectividad
:nen en común los interlocutores predomina po
s diferencia. De alguna forma, la voz del otro es e
tra propia voz. En estos casos, la voz del otro
la nuestra y, por lo tanto, no es de extrañar que
. problemas para escucharlo, pues nos estamos es
tros mismos. Los problemas reales de comunicaci

ɪs ocasiones que se ponen en evidencia nuestras ⋅
ɪcias en el dominio de la escucha.

nos conduce a sostener que, si queremos evaluar
de escucha, nos limitemos a sopesar nuestra capac
ión de otro diferente a nosotros. Éste es el real des
⋅ ¿Qué significa comprender a otro diferente? Signi
ɪacer sentido de lo que dice sin descalificarlo por s
ɪnte de lo que nosotros pensamos. Aceptar, por lo t
como legítima. Aceptar que el otro puede pensar de
ɪta a nosotros y que ello no significa que esté necesari
o o que lo que piense sea falso o inadecuado. En otr
ɪder conferirle sentido al decir del otro desde una plat
dad. Para lograrlo, lo hemos dicho antes, es necesario
posición de respeto ante el otro, lo que implica, precisɪ
le la diferencia un criterio de descalificación.

enemos que hay cuatro niveles diferentes en este
le apertura. Son los siguientes:

ɪscucha del sentido semántico y práctico del ha
dor.
escucha de las inquietudes del orador.
escucha de la estructura de coherencia del obser
el orador.
ber escuchar el bien".

ɪrdaremos cada uno de ellos en este mismo orde⋅

El primer nivel apunta a ser capaz de aprehender [...] busca expresar el habla de ese otro diferente. Est[...] [ca]riza precisamente por centrarse en aquello que el [...] [pregun]tas fundamentales a este nivel, por lo tanto, son: [...] lo que está diciendo? ¿A qué apunta? ¿Qué inter[...] deducir que está haciendo frente a lo que está aco[...] que está diciendo?

[E]s importante, sin embargo, ir más allá del mero sen[...] [palabra]s que emite y preguntarse por las acciones que, en [...] [e]sas palabras están ejecutando. ¿Están describiendo a[...] [pidien]do algo? O bien, ¿será que me está felicitando? ¿se[...] primiendo? ¿Me está informando? ¿Me está agra[...] [es]tá pidiendo algo? En otras palabras, cuando dice l[...] [e]stá haciendo? Atención, esta vez no me pregunto[...] [querien]do decir?, sino, ¿qué está haciendo con aquello q[...]

[C]omo podemos apreciar, este primer nivel puede exa[...] [pla]nos diferentes. El plano semántico que remite al ser[...] [bra]s, de lo expresado; y el plano de la acción, que interpr[...] [u]na modalidad de acción y que busca, por lo tanto, id[...] [comportamient]o acciones específicas que ese hablar está ejecutand[...]

[L]a escucha de las inquietudes del orador

[E]l segundo nivel de la escucha en este primer p[...] [cultu]ra, centrado en la comprensión de otro diferent[...] [al]lá del sentido de las palabras y de las acciones qu[...] [inte]rlocutor ejecuta. Se trata de escuchar algo que mu[...] encuentra en el habla pero que es condición de [...] [damo]s a las inquietudes que conducen a mi interlocut[...]

ada acción, lo hace como una forma de hacerse c

cular inquietud. Puede suceder que no esté consci

ud que lo conduce a actuar, no obstante, ella es s

nte obligado de toda acción, incluida el hablar.

la inquietud no es algo determinado que exista fu

las interpretaciones. Se trata de un referente interpr

urso explicativo que utilizamos para conferirle sent

inquietud, por lo tanto, no es algo determinado, si

rpretación construye, de lo que se vale para conferir

eces quien habla tiene una determinada interpreta

conduce a hablar, muchas veces no la tiene y cabe e

on ella para poder articularla. Pero en la medida en

la interpretación, de un recurso explicativo, puede t

ue mientras quien habla posee una interpretación, c

esarrolla otra. Cuando difieren en interpretar la in

a uno de ellos a hablar, es muy posible que quien

oyente deba corregir su interpretación y conferirle

al sentido que a su hablar le confiere el orador.

no es necesario que esto sea siempre así. Hay r

os que el orador puede articular su inquietud de un

al escuchar la interpretación de su propia inqui

oyente, haga el juicio de que esta última hace más

opia. Esto es habitual, por ejemplo, en las interac

g y en los procesos de terapia psicológica. Mucha

iede preguntar, por ejemplo, "¿Pero no será que l

e entregas para haberle dicho eso a tu mujer ¡

gida? ¿No será que eso se lo dijiste porque en el

go celoso?". Y no es descartable, escúchese bien

le que el otro responda, "Mira, ahora que tú lo dic

lo había visto así. Tienes toda la razón. Creo que

so". Lo interesante del caso es que quien así re

tud, reiteramos, es un recurso interpretativo y n(
con independencia de las interpretaciones que l(
n. Pero es un recurso de la mayor importancia p
rmite hacer sentido de lo que hacemos.

Iuchas veces, el orador al hablar puede dar cuent
l que lo conduce a tomar la palabra. Podría decir, p(
que..., te pido que...". Cuando ello sucede dispo
a abierta de la interpretación que el orador posee de a
a actuar. Podemos aceptar, o podríamos ponerla e1
nayoría de los casos las aceptamos, con lo cual le c
lad a la interpretación que al respecto nos entrega
ay muchos casos, quizás la gran mayoría, en los qu(
nparte con el oyente la inquietud que, según él, lo ll
dice. Esos son los casos que más nos interesan.

.o que deseamos destacar es que siempre, ind(
te de lo que haga o no haga el orador, el oye1
itarse por la inquietud que lleva primero a act(
mamos escuchar inquietudes. Y ello implica, en
ad de casos, el aprender a escuchar algo que no se
que el orador dice, sino detrás de lo que dice. A
ar el sentido de lo que el orador dice, tal como
o arriba, el oyente puede también desarrollar la
achar inquietudes que no han sido expresadas. E
l anterior, este es un nivel de escucha más elevad(
a un grado mayor en la competencia, en la escuc

on múltiples las oportunidades en las que com[
ortancia y el poder de este segundo nivel de esc
a ejemplo. Con el desarrollo del nivel de especial:
as sociedades, son muchos los que tienen cono
lidades que otros no poseen. Estos últimos, po:

er. Sin embargo, muchas veces, cuando acuden

ara hacerles peticiones concretas que quienes las

n que resuelven los problemas que los conducen

ente tales peticiones. El especialista podría escu

pide, conferirle sentido a la petición y eventua

. Esa es una posibilidad. En este caso su escucl

lo en el primer nivel que hemos descrito.

supongamos ahora que pasa al segundo y se pr

la inquietud que lleva a esta persona a hacerme e

uál es el problema que busca resolver?". Al pregi

ue es un especialista en su área, cabe que consid

ue su cliente le pide no es la mejor solución para l

a inquietud que éste posee; que existen alternativa

no conoce, pues no es un especialista– que so

nás baratas, más efectivas, que simplemente hacer

liendo. En ese caso, ¿no sería más efectivo que

an sobre las inquietudes que estaban detrás de la p

ran haciendo algo diferente? Ello sólo puede suc

imos la competencia de escuchar inquietudes.

la expansión de lo que se ha llamado el "trak

ento", esta competencia deviene crecientemen

Este tipo de trabajador sabe, en su área de espec

s clientes suelen no conocer. Cuando recibe peti

ante que se pregunte si aquello que se le está pi

a la forma más eficaz de hacerse cargo de la inc

nte. Muchas veces sucede que aquello que su cli

no es la forma más eficaz de responder a su pro

El cliente no lo sabe, pero el trabajador de conoci

luarlo. Para poder hacerlo, sin embargo, requier

las inquietudes que suscitan las peticiones que

arse ejemplos equivalentes en muchos otros dor

el orador

'uando hablamos de escuchar inquietudes ello ir
r a escuchar algo que se encuentra más allá del hab
por lo tanto, del campo de lo que está conter
y nos aventuramos en el trasfondo del habla. La :
lmente (a menos que se la haya hecho explícita),
te no está dicho. Es lo que induce a hablar al ora

'sto para algunos puede parecer mágico o misterio:
ible escuchar lo que no se dice? Para nosotros, s
segundo nivel al que hemos hecho referencia en
or es tan sólo el primer eslabón de una escucha qi
ir mucho más lejos y que muchas veces puede in
odavía más despegada del fenómeno del habla. l
ón que queremos profundizar en esta sección.

'ara hacerlo, para dar el salto, nos es necesario 1
asos. La propuesta de la ontología antropológica d
ya en dos postulados, entre otros, que son piezas f
ara entender lo que deseamos plantear. El primei
te que el lenguaje es acción; que cada vez que hab
imos cuenta (lo que ya de por sí es una acción) de
sino que tenemos el poder de transformar la rea
a palabra. No nos interesa acá justificar este postu
os hecho detalladamente en otros escritos[5], sólo nu
arlo, tenerlo a la mano. El segundo postulado nos
ɔ actuamos no sólo damos cuenta de cómo somos
s, las acciones que emprendemos nos constituyen
que somos. La acción, hemos dicho, genera ser.

Ver, por ejemplo, R. Echeverría, *Ontología del Lenguaje*, Cap
ır, Santiago, 2006, o R. Echeverría y Cristián Warnken, *Co*
l Echeverría, J.C. Sáez Editor, Santiago, 2006

)s y extraer de ellos una conclusión. Si el hablar es

o primero) y la acción me constituye en el ser (

) segundo), mi habla, por lo tanto, más allá de lo esp

a se expresa, revela mi forma de ser. Ello implica

o tiene que limitarse a comprender el sentido semán

)tro dice y las acciones involucradas en lo que dice (

o significa que tampoco tiene que limitarse a escue

es específicas que yacen detrás de la acción del ha

egundo nivel). Puedo ir mucho más lejos y procura

)ién la forma de ser de la persona que ha hablado,

también su alma, o, usando una expresión algo más

tura de coherencia del observador" que ha hablad(

o hablar revela el tipo de observador que soy. S

estría en el arte de la escucha, es importante, por l(

da a profundizar mi escucha de manera de no que

)as más superficiales del habla y ser capaz de pene

o siempre misterioso del ser. Quiero insistir en (

)so", pues este nivel nos obliga a incursionar en

udencia. Así como insistíamos en el carácter estrict

tivo del dominio de las inquietudes, lo mismo —y

r énfasis– debemos subrayar en torno a este domir

ete la forma de ser de quienes hablan. El ser indivi(

e objetivo que podamos aprehender directamente

, nuevamente, es un recurso explicativo que busca

rencia al comportamiento de un determinado inc

)or lo tanto, de un "constructo interpretativo". Di

)aje, es tan sólo un mapa y no el territorio.

: punto está expresado en lo que hemos denominad(

ipio de la ontología antropológica del lenguaje que

bservamos o cómo las interpretamos. Vivimos e
terpretativos".

ualquier cosa que pueda decir sobre el ser de un ind
siempre a dos importantes restricciones. En prim
de que se trata tan sólo de una interpretación lo que
la siempre con carácter hipotético, conjetural. No pu
a desde la certeza, desde el supuesto de que mi interp
ad. Toda interpretación es, por definición, precaria y
n segundo lugar, porque así como las acciones de u
a remitirme legítimamente a una interpretación de su
la misma manera debo reconocer que en la medida
a cambie su forma de actuar, cambiará también su fo
r. Ese cambio, siempre posible, en su accionar tiene la
er obsoleta mi interpretación.

ste tercer nivel de escucha, correspondiente al prim
rtura, representa uno de los aspectos más importa
a de lo que llamamos "*coaching* ontológico". Lo que
ter propiamente "ontológico" a esta modalidad de
mente su capacidad de llegar a aquellas dimensio
uo en las que se expresa su particular modo de se
el *coach* procura intervenir para destrabar al *coachee* y
e cargo de inquietudes en las que se siente bloquead
esis, lo que busca acometer el *coaching* ontológico. Pa
cha en este nivel resulta por tanto fundamental.

Jo es del caso exponer la metodología que propon
esto y para ganar competencias en la práctica d
e en esta oportunidad nos interesa es mostrar la p
e nivel de escucha y ofrecer una descripción mín
a hacerlo, quizás podemos apoyarnos en una obj
ntemente se escucha cuando planteamos su po

la posibilidad misma de este tipo de escucha?

samos que no necesariamente. En primer lugar, c
ntira suele ser, por lo general, un fenómeno excep
ayoría de gente, cuando habla, suele expresar lo qu
erlo desde la sinceridad. Descartar esta posibili
orque existe una posibilidad —escasa, por lo dem
ador pudiera estar mintiendo, es como "botar ¿
el agua de la bañera". Con ello nos privamos de
una escucha que en la mayoría de los casos no e
veniente y que, en la medida en que accedemo:
nos que es inmensamente poderosa pues nos con
tos de una persona que de lo contrario seremos i
servar y a tomar acciones que de lo contrario resu
ibles.

todo, este primer argumento no disuelve, para d
os, aunque ellos sean escasos, el problema que p
onder a situaciones en las que la objeción pudi
importante diseñar mecanismos que puedan l
resolver el problema cuando efectivamente existe
os, sin ser perfectos y sin poder garantizar que
efectivos, están disponibles. Es más, no dudam
er incluso perfeccionados. El criterio básico en l
stentan es la noción de coherencia. De allí que ha
l referirnos a este nivel de la escucha de "la esti
ncia del observador".

gámonos, por lo tanto, en la situación de que un
liera ser una mentira. De quedarnos tan sólo c
dentemente esto podría llevarnos a interpreta
itibles. Para contrarrestar este riesgo, la persona q
do requiere expandir su escucha de manera de in

iza, al menos, en dos direcciones distintas.

,a primera dirección opera en el presente y busca n·
char lo que esa persona dice (dominio del lengt
: a escuchar también otros dos dominios: la emo·
rporalidad. En muchas ocasiones, lo que una pe1
aje) nos es coherente con su emocionalidad o c
dica el cuerpo de esa persona al hablar. Es muy in
tanto, aprender a escuchar emociones y aprender ;
>s. Ellos hablan con códigos diferentes y mucha
es códigos expresan contradicen las palabras emit
al oyente la posibilidad de readecuar su escucha

,a segunda dirección opera en la estructura de la t
n este caso, lo que buscamos es la coherencia en s
1portamientos y, por lo tanto, nos situamos en la
>. Preguntas claves: ¿es coherente lo que esa perso
s actuar) con lo que posteriormente hizo? ¿Es co
zo con lo que luego dijo? ¿Cómo nos responde
1mos esa aparente incoherencia? ¿Es coherente ;
lector puede imaginarse cómo esto puede seguir

.xiste una segunda variante de lo anterior. En ·
lente estábamos observando distintos compor
iempo. Cuando estamos, por ejemplo, en una sit
;, esto suele sustituirse o complementarse con u
tivo que se mueve en la línea del tiempo. En est
>s directamente observando comportamientos, ·
idiendo que se nos reporte sobre ellos. No es d
otro nos entregue información procurando ser
. mentira inicial de manera de esconder su coher
ica. Pero el punto es que, al final, no es tan fácil
·herencia basada en una mentira y quien es comp

rporalidad, suele detectar inevitables incoherenc

que queremos decir es que podemos reducir este rie
aro, mientras la persona esté dispuesta a hablar y ter
dad de profundizar nuestra indagación. El silencio
, a diferencia de lo que sucede con el habla, que le p
isca engañar, ser convincente y disolver cualquier so
el silencio suele ser sospechoso desde un comienzo

o lo anterior apunta más bien a cuestiones metodo
esa que esta sección no se cierre antes de darle m
o que cabe encontrar en este nivel de la escucha. ¿
scuchar el alma? ¿En qué se expresa? ¿Qué nos p
e nivel de la escucha? Estas son, en rigor, las pre
esantes. Veamos qué podemos decir sobre ellas.

erritorio que podemos abrir a este nivel es inco
o que podemos encontrar, por lo demás, variara
a otro. Pero hay algunas áreas que suelen ser par
cundas. Como individuos organizamos nuestras
determinados ejes, o vectores, que suelen definir
el tipo de relaciones que mantenemos, lo que bus
evitamos, la forma con que establecemos nuestra
tc. Desarrollamos una estructura de carácter qu
: sentido a buena parte de nuestros comportam
vida suele estructurarse en torno a ciertas premi
iertos juicios o emociones que asumen un papel
hacemos.

iteratura suele proporcionarnos diversos ejemplo
amos. La gran literatura lo hace magistralmente. Ca
sonajes se mueve al interior de la trama según un
sentido que define el comportamiento de cada per

ello a lo que apuntamos. Comencemos por allí.
grandes personajes literarios, pensemos en Don C
ne Bovary, en Dimitri, Iván y Aliocha –los tres herr
ov–, en el príncipe Mitchkin del El príncipe idiota, e
s describe Goethe, en Otelo o en Hamlet, no import;
ada sus personajes! Pues bien, en cada uno de ellos
ión de que sabemos "lo que los mueve". Sabemos
centrales de su alma, aquello que los hace comport
:n y, en definitiva, lo que los hace ser como son.

ues bien, los seres humanos somos hechos a im
za de los personajes de nuestra literatura. Tenemo
indades, nuestros sueños y aspiraciones, nuestros
les desgarramientos, nuestras pasiones, nuestras p;
ridades y, por sobre todo, nuestros temores. La gra;
:stras acciones, de nuestros comportamientos, s
o descubrimos las raíces ocultas desde donde nac
os de determinados nudos existenciales, todos pr
nos hacia determinadas luces. Todos estamos ar
estamos buscando. Todos disponemos de una ma
r de la cual le conferimos sentido a nuestra vida
ual definimos lo que nos proporciona satisfacci
os una noción del cielo como, asimismo, una n
o. Todos estamos procurando eludir el sufrim
r que le asignamos a éste no es siempre el mism

o que hace el *coach*, en último término, no es muy
eño literario que el autor acomete sobre el cará
tajes con los que puebla sus tramas. No es muy
ilisis literario que muchas veces debe realizar el cr
hacer esto mismo y para poder hacerlo bien, es i
vitar la idea de que existe una suerte de mecáni
ería de "deconstrucción" del alma humana. En el

odo. Lo central en el individuo es su particularic
de un molde común que lo uniformice.

todo, los aspectos reseñados arriba nos ofrecen ur
de preguntas que nos podemos hacer. ¿Cuáles s
nientos personales, o los temores, que definen t
osible que para ese individuo particular su vida i
da por desgarramientos personales o temores, sinc
minadas ilusiones o sueños. ¿Pero acaso no están
dos? Quizás, sólo quizás. Cuidémonos de no ri
scucha y de darle más importancia a los moldes c
r mi parte, sólo deseo compartir la experiencia c
l leer a Nietzsche hablando de Sócrates y sorpresiv;
se, "Sócrates, ¿cuál era tu miedo?" En ese misr
e la impresión de que todo aquello que se nos rep
ites decía, cambiaba de carácter. Tuve la sensac
brendía de donde Sócrates venía y qué era aque
vitar. Tuve la impresión de que no sólo lo comp
io que también me encariñaba enormemente co;

er escuchar el bien"

e algunos años invertí un tiempo significativo en e
e de los místicos. Fue una experiencia muy inte
pude extraer diversos aprendizajes. Aunque no
ito de hablar de ellos, debo reconocer que uno c
jes me enseñó algo importante sobre el fenómen
Leía por aquel entonces a un importante místic
día, a Moisés Cordovero.

dovero es uno de grandes maestros de la Cába
a ciudad de Safed, hoy cerca de la frontera de Isr
, ciudad que en el siglo XVI se convierte en s

ɔala, como se sabe, es la corriente de pensamien
nportante dentro del judaísmo. Es muy probab
Cordovero hayan pertenecido al movimiento de l
ue se realiza luego de la expulsión que se hiciera ɑ
a en 1492, bajo los Reyes Católicos. No sería dɩ
ɩbieran sido oriundos de Córdova. Pero no lo saɓ
formas, Moisés Cordovero muere en Safed en 1ፘ

ɩues bien, leyendo a Cordovero me encontré con
ɔr decir lo menos, me sorprendió. Escribía el sabio
ɛscuchar sublime es saber escuchar el bien". Por
vero luego no ahondaba en lo que esto podía sig
ɔ de esa frase quedaba, por lo tanto, en mi escu
a como yo podía interpretarla. Lo que compart
n, en consecuencia, no pertenece a Cordovero,
escucha. No descarto que él pueda haber tenido
ɩuy diferente de lo que yo interpreto.

ɩa primera interpretación que hice de esa frase ɩ
simple. Ella resonaba con algo en lo que yo miഉ
ɩndo desde hacía tiempo. Ello se resumía en ent
cuidarme de utilizar la diferencia que el otro mɑ
go como argumento de invalidación, de descalifɩ
ɩización del otro. Prepararme, por lo tanto, para
ɩiferencia el motivo que me condujera a colocar ɑ
ɛl mal. Por el contrario, aprender a legitimar esa ɑ
ler a colocarla, al menos inicialmente, en el lado
incluso ir más lejos: procurar aprender de ella. Es
ɔción de sentido no me resultaba muy difícil, pueഉ
que yo mismo había estado pensando. Por lo r
ɩa era tan sólo el eco de mis propias voces.

io? ¿Algo más que el sentirme meramente confi
: ya pensaba? ¿Cómo asegurarme de que lo que
: escuchando? En rigor, no lo sabré nunca perc
: valía la pena hacer algún esfuerzo adicional. E
a dejar esa cita "en remojo" y volver frecuenten
ntándole si no tendría algo más que enseñarme.

bo un momento en el que me hice algunas pre
aría si me encuentro con alguien que, con lo c
:a herirme u ofenderme? ¿Cómo sé si eso es rea
¿qué pasaría entonces si esa persona incluso re
:s precisamente lo que busca? ¿Cómo puedo "es
n alguien que expresamente desea hacerme mal? ¿
. el propio Cordovero esta situación? ¿Dónde
nístico para "escuchar el bien"?

son pocas las veces, me decía, en las que los se
os decimos cosas con el propósito de hacernos
empre me cabe dudar de que esos sean los mot
: cuando hacen algo conmigo, al menos no tengo
) mismo he procedido algunas veces de esa forn
, tengo dudas de mi propia maldad. Pues bien, ha
una "auto indagación". Si logro encontrar algu
eve a encontrar algo de bien en mis propias accio
'quizás" ese mismo hilo pueda conducirme a "es
n los demás.

oregunta entonces se transformaba. La forma c
a, ¿cuáles son las condiciones que a mí me llevan
mal a otro? ¿Cómo puedo explicar mi propio a
nal a otro? Mi respuesta fue la siguiente. He pro
nal a otro cuando me he sentido injustamente
i como una amenaza lo que el otro hacía o podía

: me sentí vulnerado o quizás vulnerable. Podría e
ero creo que ello no añadiría demasiado. Creo qu
nte. ¿No me era posible acaso revertir aquello que
pia maldad y verlo también en el otro? ¿No me
: comprender que la maldad que le atribuyo al c
de los casos que sea una atribución válida, puede
mas condiciones que he descubierto en mí? ¿Nc
él busca hacerme daño "quizás" (¡bendito "qu
omo respuesta a sentirse vulnerado? ¿O vulne
zado? ¿De qué manera yo he sido una amenaz
ué manera yo soy también responsable de las acc
e contra mí y que con tanta soberbia descalifico

e manera casi imperceptible descubrí que ahora
ros ojos. Lo miraba en su vulnerabilidad, lo m
a, sin lástima, pero con compasión. Mi reacciór
paba. Creía comprenderlo mejor. Me avergonzа
ceguera, de mi insensibilidad para con él. Sentía
lido otra manera de "escuchar el bien". Sentía que
os —si me estaba viendo— no podía menos que s
cía su enseñanza.

apertura a la transformación personal

ioso. Cada sección de alguna forma anticipa y pr
ue. Lo que deseamos argumentar en esta secció
ho, que aconteció en la anterior. Esto por tantc
til.

a escucha es el mejor indicador de la calidad d
nes personales. Si la relación no es buena, lo más
escuchemos de quienes participan en ella que no
ados. Es frecuente escuchar ese comentario cuand

:eversa. Cuando hay problemas de relación en el t
zor, en todos los dominios de la convivencia.

como lo reconocíamos al inicio de este trabajo,
del tipo "Mi padre no me escucha", "Mi marido
son quejas constantes. Y el problema es precisame
1 al nivel de la queja y muy poco se hace para rem
porque no sabemos realmente lo que esa queja r
rque, en consecuencia, tampoco sabemos cómo int
ediarlo. El marido suele responder, "Pero si te es
más, puedo repetir todo lo que has dicho". Ella
1isma, "Ves tú. Eso demuestra lo poco que me esc
án hablando de cosas distintas. Él cree que le ba:
ustificar que escucha. Ella espera algo más. Per
io lo sabría decir. O, si lo dice, vuelve a repetir, "F
1a". Diálogo de sordos.

e algunos años realizábamos un taller con un gr
del Banco Central de Venezuela. El taller dura
ema de la escucha era abordado al final del prin
el segundo día les pedíamos a los participantes c
1 lo que les había pasado a partir de lo visto el día a
do que uno de ellos se levantó y reportó lo segui

1í me pasó algo muy extraño que me ha dejado pe
ealidad, no sé cómo reaccionar. Sucede que ayer, lu
t, llegué a mi casa y mi hijo salió a la puerta a rec
s mi único hijo, tiene ocho años y es lo más imp
tengo en mi vida. Casi todo lo que hago lo hago p
n él. De inmediato, vi que estaba algo inquieto
10 de que yo llegara ese día bastante más tarde de
o llegar normalmente. De hecho, suelo salir de la
ledor de las cinco y media y por lo tanto llego a

:rminamos tarde, cuando llegué a la casa deben l
:rca de las siete y media. Lo primero que mi hij(
isiblemente preocupado es,

- Papá, ¿por qué llegas tan tarde?
- Bien, porque sucede que hoy no vengo del
- ¿Y de dónde vienes?
- Vengo de un taller.
- ¿Y qué es un taller?
- Bueno, es una actividad especial en la que te
  distintas cosas.
- ¿Y qué te enseñaron hoy día papá?
- A ver, déjame pensar. Pues, me enseñaron
  por ejemplo, a escuchar mejor.
- ¡Qué bueno, papá! –me dice con una cara m;
  aliviada–. Porque, tú sabes. Tú a mí no me es
  stedes se imaginarán cómo he quedado", concluía (

'ratemos entonces de ayudarlo. ¿Cómo escuchar a
:stá diciendo realmente? ¿Y qué dice quien dice
su pareja? En otras palabras, ¿qué les hace falta?
ita que deberemos ser capaces de responder.
:spuesta es inútil. Pues, hagamos entonces lo qu
mente y retrocedamos un poco para saltar mejo
ta y estamos muy encima de ella.

)uienes han leído que previamente escribí sobre :
iabrán dado cuenta de que el tratamiento que ho
ma es muy diferente. El punto es que estamos ab
omento la diferencia que es aún mayor. Esto sin
aba incorporado en el abordaje anterior. No m
nente limitarme a ofrecer mis conclusiones, sino
:eso que me condujo a ellas. Lo hago por cuantc
ser valioso apreciar un proceso de pensamiento (

ión favoritos. Eso me ayuda a relajarme luego de
e trabajo. Se trata del programa Inside the Acto
do por James Lipton en el que éste entrevista a
es de teatro y de cine como parte de las activida
de este gran centro de formación que es The
l programa se proyecta en vivo en la televisión
tudio de proyección asiste un amplio público fo
iantes y profesores del propio centro.

s breves palabras sobre The Actors Studio. Fue fu
ouscando introducir en los Estados Unidos –el
n Nueva York– una orientación basada en la téc
n de actores desarrollada por el ruso Konstantin
jo el liderazgo de Lee Strasberg, en este centro
lo más destacado de la élite de actores de los E
urante los últimos cincuenta años. Entre ellos d
mo Marilyn Monroe, James Dean, Paul Newman,
d y Marlon Brando, entre muchos otros.

rograma, como decía, consiste en entrevistar a ac
de destacada trayectoria para conocer sus experie
is aprendizajes. Me acuerdo que en esa oportunidad
ra Alan Alda, un actor que no considero entre los r
tanto, me hizo entrar en el programa algo decepci
rto momento, sin embargo, se da un diálogo entre
e reproduzco, de memoria, en forma aproximada

Qué es lo más importante que has aprendido como
egunta Lipton.
ues, yo diría, responde Alda, que lo más import
a respuesta que uno da en escena no provenga del
el actor ha realizado individualmente, sino de aque
e dicho y acaba de suceder en el momento anter

Si la respuesta que ofrece un actor proviene de ¡
¡rre el riesgo de no ser creíble. Lo que realment
¡ que provenga de lo que el otro le ha dicho a
¡a una respuesta real a lo que previamente su
¡e estoy diciendo, señala Alda, es que la compet
¡nportante de un actor consiste en saber escuch;
¡cho así, esto se ha dicho muchas veces y yo no sé
¡tiende lo que significa. Cuando yo he escuchad¡
tro ha dicho, mi respuesta está inducida por él y
¡ respuesta muy diferente a la que yo podría hab
¡ hubiese dicho algo diferente de lo que realment
¡toy seguro si se entiende. Lo central en el actor e
¡e sea la propia interacción la que vaya condu
¡ropia actuación. De allí que yo considere que ¡
¡ercicios más importantes para formar buenos a¡
¡s ejercicios de improvisación, donde no hay un te¡
donde uno debe aprender a reaccionar a lo que
¡acen y a hacerlo de una manera que sea coheren¡
los hicieron.

¡o tengo dudas de que mi versión no es exact¡
¡ció y que si la comparáramos con la trascripci¡
evista descubramos importantes diferencias. Pe
ta. Fue lo que yo escuché. Y, en rigor, eso es lo i¡
¡ a partir de lo que escuché se desencadenaron o¡
mera, debe confesarlo, fue exclamar "¡Wow! ¡\
esperaba eso de ti! ¡Tengo la impresión de qu¡
¡ndo algo muy importante!".

¡olvamos atrás. Uno de nuestros postulados bá¡
¡ reconocer que el lenguaje es acción y que, por ¡
¡uaje tiene un inmenso poder transformador. ¡
¡s veces hemos llamado "el poder mágico de la

unque nos olvidamos de ello por muchos sigl
a desde la que actuaban los profetas. Ellos creía
nsformador de la palabra. De allí que sostengam
versación conlleva el potencial de la conversiór
nación personal.

otro lugar hemos dicho que este principio que af
nsformador de la palabra fue el pilar central del
ne si uno recorre la Biblia, descubre que en él re
de la creación. Dios crea al mundo haciendo u
nerativo del lenguaje. Existe una expresión en a
ze este reconocimiento. El arameo era el lengu:
los judíos en la época de Jesús. Pues bien, ellos
. d'avara" que significaba "creo mientras hablo
ferido a ello en otro escrito. Y sosteníamos que
le que de esta expresión en arameo, los sacerdote
nego del cautiverio de los judíos, acuñaran aquel
nbracadabra", con la cual permitían que se abriera
nte estaba cerrado y se crearan nuevas posibilida

s bien, si como hemos dicho reconocemos e
nador de la palabra, ello nos permite volver al te
a y desde allí sostener que, además de la apertu
sión de un otro diferente, la escucha implica un se
le apertura. La apertura a la transformación pe
al otro, en último término, es permitir que el
nador de "su" palabra pueda transformarme. I
que deberíamos repetir mil veces. "Escuchar
en último término, abrirme a la posibilidad de
ne transforme". Éste es el segundo proceso de ap
do en el fenómeno de la escucha y, sin lugar a dt
ortante.

igual, uno sigue actuando igual, uno sigue siendo
inevitablemente que no lo escuchamos. Si piens
ta lo que uno diga, las cosas se hacen siempre co1
ía previsto de antemano, sentirá inevitablemente
.amos. Cuando descubrimos esto comenzamos a
1 forma cuando alguien dice "tal persona a mí nc
;abemos que puede estar diciendo, "Nada de lo q
1 el curso de las cosas. Ellas siempre terminan h
el otro lo dispone. Yo no hago diferencia".

'ocas cosas pueden producir en una relación u
ión de impotencia, una mayor resignación, qu
cio. Nada puede producir un mayor abatimien
ınemos en cuestión nuestro propio valor, nuestra
personas. Sentimos que no hacemos diferencia, c
)s como niños, como discapacitados.

Como discapacitados? ¿Como niños? ¿Es acaso e
bemos darle a los niños o a los discapacitados? ¿S
con ellos? Si escucháramos a los niños, posiblen
ıamos cómo ellos también reaccionan cuando pe1
.een ningún poder de transformación en el compo
padres. Eso es posiblemente lo que procuraba ı
, al gerente del Banco Central. Lo que muy proba
)a decirle era:

Papá, no importa lo que yo diga, las cosas siempr·
)mo tú resuelves. Nada de lo que te diga logra qı
istinto. Siempre se hace tu voluntad. Mi palabra r
o te mueve, es completamente estéril. Siento q
;cuchas".

diferente lo que conlleva ese reclamo tan frecuent
s. Podemos entender a lo que apunta, lo que sign
s está indicando que está faltando. A partir de es
bremos también lo que podremos hacer para cor
eso no se nos diga más. Muchas veces creemos
podemos hacer por el otro es hacernos cargo de
en la medida que hagamos esto, lo principal está
cargo, sin embargo, suele significar hacer por ti
que necesitas, lo que yo considero que te co
mos aceptarlo por un tiempo. Pero muy pront
no desarrolla el deseo de realizar sus propios sue
que cada uno considera conveniente.

onvivencia con los demás impone límites a la cc
uestros deseos. Ello es comprensible y todos s
uestos a asumir algunos sacrificios. Sin embargo,
ntolerable el comprobar que nuestra voz no pa
rsos de acción que se definen para ambos y q
eten a los dos. De poco sirve que se me diga qu
se tomaron considerando mi conveniencia. Un
ntal de mi conveniencia es sentirme escuchado
tir que lo que digo tiene el poder de hacerlo cai
e hacemos no sólo considera mi bien, sino tamk
z y voluntad.

a vez que entramos en una conversación con posici
cada vez que entramos en ella excluyendo de anter
d de cambiar de parecer, de modificar nuestras pos
entramos en esa conversación sin una disposició
Escuchar comprometiendo la posibilidad del cambi
Es ofrecerle al otro que hable contra una pared. Po
dice, podremos incluso comprender lo que dice, j
os comprometido nuestra capacidad de escucha.

scucha –la apertura a la comprensión de otro c
:tura a la transformación personal– el más imp
iinante, por lo tanto, es el último, es la apertura a
do. La vida no es un monólogo. Tampoco es una
[ue nada me desvía. La vida se realiza en conviv
nás y en una transformación conjunta a partir d
les que tengo con ellos. Ése es por lo demás el s
ógico de la palabra "conversación". La interacció
nos cambia, y nos cambia de manera muy imp
de la escucha de lo que dicen y hacen. Quien es i
ambiado por lo demás, a ser sorprendido por lo
i enseñarnos, vive la vida de una forma equivalen
: la muerte. Conservados en cloroformo.

i escuchar, en último término, implica abrirse a
do por el otro, comprendemos entonces que la e
iento básico del proceso de aprendizaje. Saber es
iprender, de la misma manera que saber aprend
:scuchar. Aprender no es otra cosa que abrirse a
do, a cambiar, a ser diferente, con la expectativa de
más poderoso. Cuando hablamos de poder, entién
imos hablando de un poder sobre los demás, sin
de la expansión de nuestra capacidad de acción. I
ler define lo que puedo y lo que no puedo hacer

lanteniendo esa noción de poder es important
hacer una distinción en su interior. En un senti
mos que poder es capacidad de acción. Mi pod
oscila de acuerdo a como oscila mi capacidad de
devengo más poderoso; si disminuye, devengo n
i. Pero en este sentido amplio, estamos incluyendo
mino acción, la propia acción de observar: la mar
entido del acontecer.

rar el observador de la acción. Sin negar que el ol
es en sí mismo una acción, entendemos a la vez
observar hace de antesala a la amplia variedad de
. partir de nuestras observaciones realizamos. E
en esta segunda acepción, separar el dominio del
dominio de la acción y tratarlos en forma indepen
tración ha pasado a ser un elemento central de 1
1 y nos ha resultado de gran utilidad y poder.

aplicamos al tema de la escucha y, de manera par
o de apertura a la transformación personal, esta
permite, por ejemplo, distinguir entre transforma
1 observador y transformaciones a nivel de la ac
ta interesante, pues da cuenta de dos modalida
ije diferentes y nos evita caer en una visión prag
1. Esto resulta especialmente importante, por ej
. de la lectura. Muchas veces, al entrar en contac
ninado interlocutor, sea esto a través de una inter
crita, podemos registrar cambios muy profun
isión del mundo, cambios muy radicales en el 1
que sobre determinados asuntos adoptamos, s
iduzca necesariamente o todavía en modificacio
ipacidad de acción, más allá de la acción compro
oio observar.

1 interacción puede implicar un cambio muy imp
as posiciones, cambios que no tenemos dificultad
nucho antes de que ellos se expresen en la forma
oortamos. Cabe incluso considerar casos en los o
os cambios de posiciones no culminen en modif
nuestros comportamientos (más allá, por supues
· que ello significa en la acción de observar). Por lo
iiente tener presente que el proceso de transfori

lominio de la acción, como en ambos. Lo que
:r es que no se dé en ninguno de ellos, pues ell(
mente que no ha habido transformación.

Jos queda un último punto por tratar. Éste tien
s límites del proceso de transformación person
onos, podría concluirse que mientras mayor se
oosición a ser transformados por lo que los demás
a una mayor capacidad de escucha y, consecuentei
ón siempre preferible. Ello evidentemente no es :
:e que todo cuanto se dice a su alrededor lo trans
re como persona. Todo individuo requiere sustenta
ura de coherencia básica que esté abierta a la trans1
ue asegure también su propia coherencia interna

'odo lo que se dice alrededor nuestro es neces:
dictorio, muchas veces hasta el límite de lo cac
luos hacen juicios opuestos sobre los mismo
itos, desarrollan interpretaciones opuestas en :
smas situaciones. No es posible estar a una di
rtura hacia todas ellas pues, de hacerlo, absor1
dicciones del entorno y colapsamos como pers
dad de operar en su entorno con una mínima cc
ra tolerancia a la diversidad está por lo tanto acot
ser de otra forma a menos que optemos por la

:ste es un punto interesante. Hemos planteado que
de persona es una construcción, una interpreta
os —tanto de nosotros mismos como de los dei
precisamente hacer coherente la diversidad d
ortamiento. Ello implica, por lo tanto, reconoc
a de persona se sustenta en el criterio de la cohere
oherencia no es tan sólo una conclusión lógica de

ia mínima no podríamos sobrevivir por mucho

ía imposible participar en la convivencia social.

iales que somos, nos es fundamental operar des

a de coherencia básica.

enómeno del escuchar nos impone, por lo tanto, ui

isión dinámica entre la conservación de nuestra coh

ormación. La conservación de una estructura de coh

el límite formal de los procesos de transformac

i embargo, no es la preservación irrestricta de la est

incia inicial, pues ello compromete nuestro apren(

ipacidad de readecuación al entorno, sino el log

iación "de" nuestras estructuras de coherencia, de i

empre seamos coherentes pero abriéndonos (ap

ilidad de modalidades de coherencia diferentes, c

n idealmente por un camino de perfeccionamiei

implica —queremos reiterarlo— que la competei

a tiene necesariamente límites; que quien sabe es

iien a quien todo lo que se le dice lo hace cambi;

oaz de discriminar —lo que hemos llamado capaci

iiento— aquello que permite que lo transforme, d

echazará y que lo hará, por el contrario, objetar

e incluso criticar aquellas posiciones que no coi

iteresante, sin embargo, el hecho de que aunque i

emos por mantener nuestra posición original, ;

os escuchado nos conduce a reformularla, a pres

orma diferente, de una manera que se hace carg

s ha dicho y que procura cerrarles espacios a eso

ii ello acontece, aquello que escuchamos tuvo el

ormarnos, aunque el cambio se produjera en un :

del que hubiese deseado el orador.

, entorno social más restringido, constituido por

n pasado por un entrenamiento ontológico, en e

eces se utiliza la frase "no me estás escuchando"

. La competencia de la escucha no compromete n

d de discrepar. Y la legitimidad que le conferimos

:e implica aceptar la legitimidad de sus posiciones.

ender, y sin embargo podemos también no com

empre es importante no olvidar es que ambos,

, como el otro, nos desenvolvemos en el terren

io de las interpretaciones y entonces no les asign;

as el estatuto de la verdad. Allí reside la diferenci

responsabilidad del oyente y del orador en la escu

is veces, en nuestros programas de formación se n

quietud que merece la pena ser trabajada. Se nos

Muy interesante todo lo que nos has dicho. Y cre

rve mucho para mejorar mi escucha. Pero cuan

amos la calidad de una relación, debemos recono

uena escucha de uno no resuelve el problema c

scucha del otro".

ı,

Muy interesante. Pero el que debe aprender esto

ni marido, mi padre, mi hijo, etc.) y no yo. Por n

o cambie, él (o ella) va a seguir igual. Por lo tanto

:mos muy lejos".

ıl interior de lo que podríamos llamar "la corrien

ito ontológico" ha habido gente que reiteraba la

ión, "uno dice lo que dice y los demás escuch

Comentario interesante. Lo primero nos parece
uno dice lo que dice y de manera inevitable los
lo que escuchan. Pero objetamos con mucha fuerz
escucha del otro no es sólo responsabilidad de él;
uy importante es también responsabilidad del or

ue estamos sosteniendo es que, en una conversa
que ella genera en términos de escucha no sólo
os que, en su momento, en la conversación están e
s, sino, de igual manera, a los que asumen el rol
cho de otra forma, postulamos que somos respor
uestra propia escucha, cuando somos oyentes, co
que exhiben nuestros oyentes, cuando asumimo
es. Oyentes y oradores, sostenemos, son co-respo
cha que se produce en la conversación. Ello impl
os hacernos competentes en el arte de la escuc
raremos nuestra escucha cuando los demás nos l
s mejorar también la escucha de ellos cuando no
nos. No es necesario que el jefe (el marido, el hi
asista al programa de formación para que, de ah
logre escucharnos mejor.

enemos lo anterior basados en dos argumentos difí
primero. Una vez que entendemos que la escucha
a entre el orador y el oyente, y que uno de los secr
efectiva es saber reducir esa brecha, el orador pued
ciorarse sobre el carácter de la brecha y asumir resp
garantizar que ésta sea mínima. Ahora podrá, por e
ientras habla como una manera de monitorear cór
cuchado y cuán grande o pequeña es la brecha. La e
eja de ser un resultado espontáneo de la conversaci
adelante nos hacemos responsables de ella, pues
inocencia frente a este fenómeno.

Hemos sostenido –ya varias veces– el carácter ｇ
ｉformador de la palabra. Pues bien, una de las á
ｉdemos reconocer este carácter generativo es pre
ｉcucha del otro. ¿Qué queremos decir? Lo que sc
la escucha del otro está condicionada por la mar
lemos. Si lo hacemos desde el respeto, si nos ｍ
ados no sólo en exponer lo que pensamos, sin(
ｉar lo que el otro piensa, si la manera como le hab
su confianza en nosotros, si la emocionalidad que i
ar es positiva, la capacidad de escucha del oyent
le estamos diciendo tenderá necesariamente a e:
mos: respeto, indagación, confianza y, en genera
ｉocional. Esos son los ingredientes claves de un
ｉz de generar escucha en los demás. Ése es el se(
ｉividad en los sistemas sociales.

ｉl bloqueo de la escucha del otro suele ser muc
ｉcanismo defensivo que éste activa para proteg
ｉcia. La diferencia suele ser percibida como u
zante. Otras veces la diferencia asume la forma (
ｉstionamiento o de crítica. Pero nosotros podemc
de manera tal que la eventual amenaza se disipe.
ｉmplo, hablarle de una manera tal que la diferen
ｉuchada como posibilidad. Al hacerlo así, seremos
ｉestra forma de hablar, los que generemos las cｉ
ｉucha que deseamos en el otro. La escucha del ot
resultados que podemos lograr con nuestro habl
ｉa adicional de la capacidad generativa del habla.

ｉllo implica, por lo tanto que, para garantizar cｉ
ｉicha adecuadas, no basta con trabajar tan sólo cｉ
ｉa. Es preciso también aprender a hablar de una ｍ
ｉiducente a generar la adecuada escucha del otro.

bla y, más adelante, del dominio del lenguaje –de
el habla son parte– al dominio de la emocionali

Weston, agosto d

V
LAS MODALIDADES DEL HABLA
Y LA SENDA DE LA INDAGACIÓN

"Una vida nc

no merece s

Sócrates (Platón,

Modalidades del Habla

ando examinamos el fenómeno del habla, poder
luy diversas distinciones en su interior. Una de el'
llamamos las modalidades del habla. Esta distin
ea que divide el fenómeno global del habla en dos
ltes: proposición e indagación. Cada vez que un
lo hace ya sea para proponer o para indagar. Es
dan cuenta del conjunto del fenómeno del habl:
los, proponemos o indagamos, y dentro de este
de distinciones no existe otra alternativa.

'odo hablar es una acción y toda acción remite si
le la inquietud y del deseo. Actuamos para hacer
) que nos inquieta o porque buscamos la realizac
) un afán. Ambos, inquietud o deseo, nos ayudan a
) a nuestro actuar. Algunas acciones permiten acce
ntido a través de la noción de inquietud, para otra
il la noción de deseo. La inquietud aparece más lig:
:ia de un cierto desasosiego, a la noción de carencia, :
sca hacerse cargo de una determinada situación y qı
:onlleva la idea de resolver lo que dicha situación ɪ

:da de plenitud, de inclinación o gusto personal.

:ata por lo demás de términos afines y compleme
uchos casos permiten ser intercambiados el unc
, todo, cada uno de ellos introduce una connotaci
ı matiz, que nos parece más apropiado para dar
acciones, que lo que resultaría si utilizáramos el t
o. Así, por ejemplo, cuando voy al médico, habla
. que me conduce a visitarlo, pareciera apropiad
guntan por qué escogí esa camisa y no otra, o p
ia persona a bailar y no a otra, quizás la noción de
er más adecuada.

ndo hacemos una proposición, podemos decir q
juietudes que conduce al orador a hablar es la d
iu manera particular de observar las cosas. Al prc
luo relata sus experiencias, emite sus opiniones,
ados cursos de acción, toma decisiones, efectúa
etc. En todos esos casos, su hablar remite a sus ɪ
es y se trata, por lo tanto, de un hablar auto referi
, el individuo habla desde sí mismo y su habla re
dividualidad.

ndo indagamos, no dejamos de actuar movid
es o deseos. Pero en este caso la inquietud es dif
tud (o el deseo) que ahora nos mueve no es la d
osotros mismos, sino la de conocer mejor al o
ι del hablar no está puesta en nosotros, ni en ɪ
lidad, ni en revelar el tipo particular de observac
no en abrirnos al otro para comprenderlo mejc
l observador que él o ella es. Lo que nos mueve a
gación es la búsqueda de que el otro se nos muest
ıgación, nuestro hablar, por lo tanto, busca hacer

icio de la escucha del otro. Tal como lo hemos
ción es un hablar que tiene como objetivo escu
ue la mueve. Y hablamos, por cuanto sospecham
erlo, de no indagar, es posible que el otro calle a
no que nos interesa conocer.

ropongamos o indaguemos, el hablar siempre no
e mostrará algo de nosotros. Ello es inevitable
aso se muestran aspectos diferentes. Cuando pro
se revela son los múltiples contenidos que con
ador que soy. Cuando indagamos lo que se rev
pecífico: nuestro interés por saber de los demás.

orno a la proposición

o nos referimos al habla, sucede que muchas vec
circunscribirnos a la modalidad de la proposición
la importancia de la indagación. Esta suele ser, d
dad del habla normalmente menos desarrollada. La gr
ersonas cuando habla suele hacerlo para proponer. S
frecuencia que en nuestro hablar exhiben tanto la p
la indagación, la frecuencia de la proposición suele
a. Ello no descarta que haya algunos individuos ba
tivos e incluso algunos pocos que muestran ser más i
opositivos. Pero ésa no es la norma. Por lo general,
ás propositivos. Esto nos obliga a colocar un énfasi
ir la importancia de la indagación.

ero antes de hacerlo, creemos importante adve
a forma estamos asumiendo una posición en
osición. Muy por el contrario. La importancia
te vamos a conferirle a la indagación sólo tiene
ella nos conduce a generar proposiciones más

ue prescindir de la proposición. Lo que sí nos i
el carácter de nuestras proposiciones y garanti:
egamos a ellas lo hacemos de manera tal que ell:
rosas. ¿Qué significa proposiciones más rigurosas
que sean más poderosas?

، de los rasgos de una proposición rigurosa es no a
:se con la verdad, es saberse provisoria, es estar di:
ón. Uno de los problemas que encontramos en el 1
oosición es una suerte de narcisismo. Las proposi
jue lo evitemos, suelen exhibir una tendencia a con
"más bellas", como las mejores, como las que exp!
,ste es precisamente el rasgo que disputamos. To
:s siempre conjetural. Y ello implica que la prop
ipre hacerse con una cierta mala conciencia, acept:
d de que podemos estar completamente errados
ón es siempre provisoria. Toda proposición es cc
como tocar tierra firme. Pero una vez que lo hacer
te que reconozcamos que estamos a mitad de cami:
 b es nunca tan firme como parece, y que pronto deb
olver al mar de la indagación a buscar nuevos puer
do hablamos de proposiciones más rigurosas.

b hemos hablado también de proposiciones más p
jué sentido? Ello puede desarrollarse en múltiple:
na de ellas, sin embargo, implica reconocer que, a
ermitamos previamente indagar, nuestras propos
; superficiales. Toda indagación abre caminos y cc
os que, sin ella, nos serán muy difícil alcanzar. A
gación, despejamos, limpiamos, avanzamos hacia
s. Pero todo ello lo hacemos con el propósito no :
caen nuestros presupuestos originales, sino de e
ies de sostener algo más sólido, algo que muy p

lad de proponer. Nuestro interés por alcanzar prop
gurosas y poderosas es lo que, en último términ
a la propia indagación. Por lo demás, toda indaga
e, para poder formularse, requiere de puntos de
de proposiciones que, aunque provisorias y co
an levantar esas preguntas y no otras.

ero, una vez que aceptamos lo anterior, es impo
el valor de la proposición. Hay situaciones en la
a deviene muy importante. Examinemos alguna
e lo más frecuente sea encontrar una mayor te
ner que a indagar, hay personas, aunque sean m
n el rasgo opuesto. No se animan a proponer, i
a otros lo que piensan. Viven en el desgarramiento
gran parte de lo que piensan no tiene valor y q
no merece ser dicho. Se trata de personas que se e
almente consumidas en una actitud de auto invali
ma no suele estar, sin embargo, en el reconoci
que sostenemos es siempre precario, sino, más bi
sostenemos es siempre más precario que lo que
más. En este caso, enfrentamos un problema do
ial. El valor, que como persona me auto confiero
mente inferior al valor que le confiero a los otro
los casos en los que es importante acentuar e
posición, de manera de poder desplazar a esa p
namiento que hace de todo lo que piensa.

a proposición muestra también su importancia, p
rmite enfrentar la vida en su dimensión más prác
que pensamos pueda ser provisorio, no podemo
r a ello, no podemos dejar de apoyarnos en lo que
overnos por la vida, para construir mundos y des
os opción. No podemos estar en una actitud de

os. No podemos dejar de asumir compromisos, n(
: de tomar decisiones y de comprometer diversos
. De no hacerlo, comprometemos la propia vida...
.s, el valor de nuestra vida se medirá por lo que s
le construir y no por nuestra capacidad de soca
:mino, en el juicio de los muertos, será nuestra caj
ucción de mundo y la calidad de los mundos const
:linará la balanza a favor o en contra de nosotrc
remos recurrir al valor de la proposición.

unto que de ahora en adelante procuraremos defei
entendido como un cuestionamiento de la propc
lefensa de la indagación se realiza buscando incre
le nuestras proposiciones. De no entenderlo así, n(
ntradiciendo nosotros mismos. Después de todo, e
lo este trabajo con clara conciencia de que se trat:
amentalmente propositivo.

)gización de la Indagación

ción y Educación

de una tradición en la que se estimula poco la
1. Cuando éramos niños, sin embargo, no parábai
Jna pregunta conducía a otra y las respuestas que
recían no saciar nuestra curiosidad. Pero en la 1
:mos, esta capacidad indagativa pareciera irse pr
perdiendo. Muchos factores inciden en ello. Por u
nos a desarrollar una creciente preocupación con :
pública y a menudo pensamos que indagar es
bemos, lo que afectaría negativamente nuestra id(
Nuestros propios padres muchas veces refuerz:
lado que comienzan a exasperarse con tanta pre

:ión suele premiar las respuestas. Las evaluacion
os realiza el sistema escolar privilegian nuestra c
contestar preguntas y muy escasamente la coi
:erlas. Los maestros parecieran a veces sentirse
s alumnos demasiado "preguntones". Todo nos
ırogresivamente desanimando en el desarrollo
lad indagativa. Poco a poco nos disciplinamos a
ar la indagación. No nos damos cuenta del preci
por ello.

sidor Isaac Rabi, premio Nóbel de física, contal
ncia, cuando volvía de la escuela a su casa, lo pri
lre le preguntaba era, "¿Hiciste alguna buena pre
e, Isaac?". Cabe preguntarse, ¿qué pasaría si en
ramos los exámenes de manera tal que además
stas correctas, que nos muestren que el alumno a
a, pidiéramos también evaluar las preguntas que,
endido, el alumno puede ahora hacerse? Cada a]
hecho, un desplazamiento hacia un lugar en el
r no sólo nuevas respuestas, sino también la eme:
preguntas.

Ina experiencia personal me lleva a reforzar lo ar
que terminara mi formación secundaria, viajé a
n mi familia en Francia, donde mi padre disfrut
bático. Mis planes eran volver a mi país al cabo d
Irme allí a la universidad. Estando en París, me
versidad de la Sorbonne abría exámenes de adm
jeros que estaban viviendo en Francia. Los cupos
nitados y los interesados varios cientos, quizás m
prueba sabiendo que no perdía nada y que mis
n definidos. Ello simplemente me serviría para r
lónde estaba en relación al conjunto de los post

ıbién, de una manera muy francesa, se nos hací
ıperaba que uno tomara posición frente a la n
dida que yo estaba tomando esto como un juego
lel resultado, me decidí a jugar. Una vez que co
ciente como para demostrar que sabía, daba vu
y comenzaba a hacer preguntas. Preguntaba r
nateria en cuestión, preguntaba también –y a n
ɔ humor– sobre lo que podía haber tenido en n
ente esperaba de nosotros la persona que había h
Debo confesar que disfruté la experiencia. Poc
lisfrutaba más todavía el resultado que me comun
ı, no alteré mis planes y volví a estudiar a mi paí
ɔiendo aprendido algo nuevo, algo que creo que
útil.

ón, sentido común e indagación

ıiños operamos con lo que podríamos llamar un
común". Todavía no conocemos bien lo que ı
ocial acepta como respuestas válidas. Ese sentido
desarrollando poco a poco y a medida que acce
roduce la sensación de que alcanzamos un territo
ıdo decimos "es algo de sentido común", parecio
dicar que no merece ser puesto en cuestión. El ɛ
ɔ identificamos muchas veces con el buen sent
algo de eso pareciera ser válido. El sentido co
ınta como un sentido probado a través de la hist
ɔmunidad.

ɛmbargo, sentido común no es sino un sentido co
a comunidad. Y aunque el hecho de que sea com
roporcionarnos alguna seguridad, la sensación de
ɔmpaña es muchas veces ilusoria. Nos hace pen:

a ser cuestionado. Nos olvidamos de que vivimos e
·etativos y que todo examen crítico del sentido c‹
:e inevitablemente a reconocer que la supuesta soli
) común nos ofrece, en rigor, se sustenta en el vací‹
en la confianza y sensación de solidez que nos ‹
ıso. No en vano nos advierte el filósofo y matemát
Whitehead que "se necesita una mente poco usual ¡
stión lo obvio".

Jos es fácil aceptar la gran precariedad de nuestrc
obviedad. Reconocerlo nos produce a menudo la
n inseguridad. Buscamos afanosamente la solide
ıs, profesor de filosofía de la Universidad de Berke
storia que es ilustrativa de lo que estamos sosten
ıortunidad estaba presentando en Inglaterra la no
a por Martin Heidegger, el filósofo alemán, de qı
ıdos interpretativos y que, por lo tanto, todo lo qu‹
se sustenta necesariamente en otras interpretacioı
z, en otras interpretaciones y así sucesivamente. A
sentación se le acerca una señora y le dice, "Pr‹
ıtender bien lo que usted dice. Pero, al final, c
:etaciones se acaban, ¿con que nos encontramos?'
ata que, dándose cuenta de que a ella le resultaba i
de que no hubiera nada a parte de las interpreta
ıde: "Pues bien, señora, de allí para adelante, n‹
asta el final". Efectivamente, muchas veces bu
: de la roca. Por desgracia, no hay roca.

)tra situación ilustra de manera diferente este misı
ıo de 1930, se realizó un diálogo entre el físico Al
:l poeta hindú y premio Nóbel de Literatura, Rab
:, conocido también por su elevada espiritualida‹
el que ambos se volcaron fue el de la relación en

que no guardan mayor relación. Tagore le pr
ı sobre los fundamentos del quehacer científico c
ırma, a partir de qué la ciencia sostiene la solidez
ınes. Poco a poco, Einstein está forzado a reconoı
stos en los que la ciencia funda su seguridad so
te indemostrables y que están afirmados con la
que el hombre espiritual afirma la validez de su rı
ı termina con Einstein sorprendido, reconocien
científico y el poeta espiritual, compartían una f
Juevamente, no hay roca.

econstruccionismo, corriente filosófica desarrollɛ
Jerrida, hace de este reconocimiento su piedra a
sa fundamental es la siguiente: toda concepción
gida a mostrar la solidez de sus fundamentos, t
Jose ya sea en contradicciones o en arbitrarieɔ
ı de solidez que muchas veces le conferimos a n
ıciones es ilusoria. Todas ellas remiten a la nada.

nos lleva a reconocer que la supuesta solidez q
proporcionar el sentido común suele ser ilusoria. ʃ
in embargo ella nos es muchas veces útil. En la ı
ınsamos en el sentido común, podemos aceptar ı
que nos permite concentrarnos en otras. No nos
ıtionarlo todo simultáneamente. El sentido com
ına un orden que nos ayuda a orientar nuestras v
adas direcciones. Pero, en rigor, el sentido con
juel lugar en el que dejamos de hacernos pregur
tenemos nuestras ansias indagativas, en el que el
dor del pensamiento opta por descansar. Blaise
o francés del siglo XVII, sostiene acertadamer
'conclusiones" expresan tan sólo el cansancio de ı
nto. No es de extrañar que, tres siglos más adelaı

portante es no parar de preguntar", no optar por
conclusiones que ya hemos alcanzado.

ıgación, duda y pensamiento

: es indagar. Quien no sabe indagar es incapaz (
der a indagar nos conduce a aprender a pensar. Nei
les Weingartner nos dicen:

El conocimiento se produce en respuestas a ɪ
[uevo conocimiento resulta de hacer nuevas ɪ
ıuchas veces nuevas preguntas sobre viejas preℊ
unto es éste: una vez que hemos aprendido a hacer
preguntas relevantes y apropiadamente sustanciale
ɔrendido como aprender y nadie puede evitar
ɔrenda lo que uno quiera o necesite aprender".

'odo pensamiento significa soltar, revisar lo dadɵ
ːl pensar suele poner en cuestión nuestros supu
aunque las preguntas que nos hagamos apunteɪ
rios, todo nuevo territorio redefine aquellos de
ıíamos. Permanentemente volvemos sobre nosoɪ
conocimiento lo hacemos revisándonos nosotro
ıe a veces pareciéramos estar pensando sobre un
ɪr, en rigor siempre estamos revisando nuestro
ːtos, nuestras propias interpretaciones, interpɪ
.s veces heredadas y normalmente aceptadas sin s
stión, sin someterlas a un estricto proceso indag

ːsto ha sido expresado magistral y lúcidamente p
ɔritánico Arthur Eddington al término de su o
ːividad, 'Space, Time and Gravitation' (1920). E

en múltiples oportunidades. Eddington nos señ

mos encontrado que allí donde la ciencia ha realiz;
ores progresos, el espíritu no ha hecho sino volver
naturaleza lo que él mismo había colocado en e
era de lo desconocido detectamos unas huellas ex
ayuda de poderosas teorías logramos reconstituir
enecían. ¡Vaya! Eran nuestras propias huellas."

a medida que vivimos en mundos interpretativo
nocimiento suele implicar una revisión de interpr
las. Si no estamos dispuestos a revisarlas, a pone
los nuevos conocimientos pueden verse inevitable
os. Uno de los grades atributos de un pensador c
mente su capacidad de cuestionar sus supuestos ir
e temor para soltarlos. Los conocimientos nuev
oresión de que nos llevan a conquistar nuevos terr
apre reconocemos que no dejamos de darnos vue
mismos, al interior de nuestras propias interpreta
ocimiento remite al observador que somos. Todc
ento implica una transformación del observad
do. Los nuevos territorios no expresan sino una
n de nuestra propia mirada.

isposición cuestionadora, indagativa, que acompaña
ibla de una actitud fundamental que lo acompaña. Pc
la como una forma de valentía, una suerte de arrojo c
a atrevernos a minar los cimientos de lo que otros
erto o de las explicaciones que asumen como verdad
ato no es una práctica para temerosos o, quizás dicho
estros temores marcarán los límites de nuestro pensa
estemos dispuestos a poner en cuestión determina
ín cerca podremos llegar con nuestras ideas.

ıuchos son sus seguridades. Por lo tanto, mientra:
ʒa a lo que cree saber, a lo que da por sólido, má
niento. Friedrich Nietzsche, filósofo que ocupa
ado en nuestra propia propuesta, insiste en que s
ı librepensadores, para pensadores dispuestos a rc
duras de las concepciones heredadas y para per:
ısustan con el desafío de pensar por sí mismas.

'oda gran revolución en el dominio del pensamie
r una excepcional vocación indagadora. Tomemc
.os. El primero de ellos nos sitúa en el nacimient
ıto filosófico occidental y nos remite una figura c
nás destacada para entender cómo somos los oco
iero a Sócrates. Pues bien, es probable que no enc
:rsona en el curso de la historia que le diera una i
yor a la indagación. Sócrates es un maestro en el
ción. Y se sirve de él para mostrarle a sus conten
cter engañoso del sentido común, sentido que le
unción de que saben.

ara Sócrates nada es más problemático que la pres
ɟue derivamos del sentido común. Vivir desde allí
erte de sonambulismo, es vivir al interior de una ɟ
ɔnocemos como tal. Para aprender a "bien vivir",
nental que guía a Sócrates, éste promueve el camir
:a su vida desde la premisa de la ignorancia, desc
iento de que no podemos descansar en el sentido
la ignorancia es nuestro punto de apoyo más segı
es, de lo único que nos es posible presumir es de
ıemos nada. Esa es su propia premisa, es la pauı
pia existencia. La seguridad que nos proporciona
ı, para Sócrates, es una ilusión, una presunción que
:r. Aquel que acepta entrar por el camino de la c

ultáneamente por el camino del bien vivir. La f
ta Sócrates, un cuerpo de conocimiento. La filos
a de vida asentada en la indagación.

as conversaciones que Sócrates mantiene con su
os, la indagación y no las respuestas son lo impo
predilecto en sus diálogos es aquello que presu
maestría consiste precisamente en demostrarle
ores cómo, detrás de esa presunción, reside e
gnorancia. Pero una ignorancia que no se recono
Quien no exhiba una disposición de poner en cu
estas, nos dirá Sócrates, orientará su vida por la
la. El ideal de vida para Sócrates es la vida inc
única vida que merece ser vivida. El compromi
ción representa lo más importante que un ser h
anzar.

ates, dentro de nuestra propuesta, representa una
ntal. Y lo es por diversas razones. Quizás la más
por cuanto es el primero que hace de la filosofí
ción sobre la vida, como una particular opción c
emos que para Sócrates el ideal de vida, la exp
del saber vivir bien, se sustenta en la noción de un
'. Ello implica, por lo tanto, un tipo de modalidad
cial. Se trata de una opción de vida que coloca la
dagativa en el centro. En ello, mi afinidad con S
eta. Hay, sin embargo, un supuesto en la propu
con el que mantengo una diferencia fundamenta
hacer explícita. Se trata del supuesto de que po
so indagativo nos es posible acceder a la verdad.

rigor, cuando examinamos los diálogos que S
con sus interlocutores (diálogos escritos por P

nto en ellos corresponde a Sócrates y cuánto a]
ito acceso a la verdad, en los hechos no se logr
os dejan es el rigor de un proceso indagativo qu
uficiencias de las presunciones de saber de los
No obstante lo anterior, el supuesto del acceso a
stando presente y de él, Platón su discípulo y má:
teles, discípulo de éste, fundarán la propuesta met;
personalmente entro en un choque frontal.

)tro momento importante en la historia del pei
ntal se produce en la mitad del siglo XVII. En ese
ra alcanzarse un determinado agotamiento de las
niento tradicionales y se produce la búsqueda de
distintos. Dos son las figuras más destacadas en esta ε
iugurará el pensamiento filosófico moderno: René
opone una senda fundada en la razón, y Francis E
su propuesta en la autoridad de la experiencia. Dc
ites que marcarán todo el pensamiento filosófico
ibargo, si bien las sendas son diferentes, ambos co:
icar la importancia de la indagación.

.n ese entonces, la tradición filosófica predomin;
niento escolástico. Éste representaba la apropi
ianismo, a través de Tomás de Aquino, había h(
ía de Aristóteles. Desde la perspectiva escolástica
nzaba partiendo de la verdad y extendiendo su
dalidad más expresiva de esta opción era la figura
mo propuesta por Aristóteles.

.l silogismo consiste en partir de una prime:
sa mayor), añadirle una segunda verdad de mei
sa menor) y extraer de ambas una conclusión. U
erístico es éste:

nisa menor: Sócrates es hombre.
clusión: Sócrates es mortal.

puesto fundamental detrás del pensamiento esc
verdad conduce a la verdad. La verdad se deduc
uienes no posean la verdad mayor, están inevitabl
los a vivir en el error.

ropuesta de Descartes se caracteriza por buscar ur
o de razonamiento. Su contribución más destaca
ievo método", el que se expone en su obra *Dis*
637). Lo que Descartes objeta es la premisa ini
nto escolástico: el que la verdad deba alcanzar
la verdad. Su propuesta es la opuesta. La mane
le alcanzar la verdad, nos dice Descartes, es pai
a, es dudando de las supuestas verdades que rec
o. La verdad se logra poniendo en cuestión las ve
s de la tradición filosófica. No estoy endosando
tesiana. Hay mucho en ella que me parece objetal
, por ejemplo, la importancia que Descartes le c
común, al que su razonamiento apela para libera
as tradiciones escolásticas. Lo que me interesa d
o de que en su intento por buscar un camino alte
iiento escolástico, Descartes afirma la importanc
or ende, amplía el dominio de la indagación.

icis Bacon se enfrenta al mismo problema de Des
ón, sin embargo, será diferente. La propuesta esc
s de Aquino se contenía, entre sus diversos escri
rganum. Bacon articula su propia propuesta en u
. *Novum Organum* (1620). Su principal premisa c
er que la tradición no debe ser lo que guíe nuestr
y desde donde extraigamos la verdad. Este lug.

ıi se la deduce de otras verdades supuestamente ;
dad requiere ser inducida desde la experiencia. B
del empirismo moderno.

in embargo, tanto la puesta en cuestión del pei
ɔnal como la búsqueda de nuevas verdades recι
·riencia descansan, para Bacon, en una misma y fuι
·tencia: la competencia de dudar y por tanto de cues
nbre parte de certezas", nos dice Bacon, "terminará
opta por partir de las dudas, terminará en certezas".
quiere estar fundada en la indagación.

ıl colocar la duda en el centro de la reflexión filosóficε
)escartes como Bacon sustituyen el dogmatismo, pː
ın filosófica que habían heredado, por el escepticismι
dogmatismo parte de aquello que la tradición nos ι
ero, sin cuestionarlo (dogma), el escepticismo arr
le la puesta en cuestión y hace de la indagación la hι
del pensamiento. El escepticismo se convierte desdι
· de los rasgos más sobresalientes de la modernidac

ıgación y modalidad de vida

ın error limitar nuestra comprensión de la indε
io exclusivo del lenguaje sin reconocer que, siι
ecer a dicho dominio, tiene un impacto fundaι
as vidas y en el tipo de ser que somos. Hemos reit
ıuaje nos constituye. Hemos sostenido que, de
operamos en el lenguaje, conformamos nuestra ι
tanto, cada vez que somos introducidos en una
ıguaje, en una competencia lingüística particι
ıtarse de qué manera esa distinción, esa compε
na con la vida.

proceso de ontologización de la distinción lingü
examinado una particular distinción lingüístic
propio, el del lenguaje, la trasladamos ahora al d
o, a aquel dominio en el que profundizamos en
sión sobre cómo somos los seres humanos, tantc
de vista genérico como en relación a la manera pa
cada individuo, lo que denominamos su "alma".

bien, las dos modalidades de habla a las que nos
la proposición y la indagación, representan simu
s modalidades diferentes de existencia. Podemos
ir que hay quienes organizan la vida a partir de res
que hay otros que lo hacen a partir de preguntas.
ociones que se oponen diametralmente. En la n
os, sin embargo, los individuos se sitúan en pos
ias, apoyándose en determinadas respuestas y at
delimitados para la indagación. Una pregunta imp
por lo tanto, es ¿cuáles son los límites que existe
icular para el desarrollo de mi capacidad indagat

lgunos casos puedo hacerme responsable de esos
de todo, los he trazado yo mismo y me reconozc
osibilidad de poner en cuestión determinadas pos
nte, la mayoría de esos límites no han sido estab
ino por el sistema al que pertenezco, provienen
stórica a la que me he sumado (Heidegger diría
ojado" en ella) en la medida que he nacido en una
poca y en una comunidad determinada. Los he
cuanto las personas que me rodean los hacían suyc
, nos encontramos viviendo a partir de respuesta
s nunca hicimos. Esas respuestas que he hecho n
chas veces no lo son. Ellas estaban allí esperándom
naciera o las ha desarrollado el sistema al que pert

a similar a como he incorporado el aire que respir

Iuchas veces es importante preguntarse por las
in generado esas respuestas que guían nuestras
in realmente alguna vez? Y si se hicieron, ¿no
de responderlas? Uno de los grandes méritos
iuesta de Heidegger consiste en que repone una
junta sobre cómo somos los seres humanos. Esta
antada hace ya casi dos mil quinientos años, en
iuesta que fue dada fue aceptada desde entonce
s. El gran mérito de Heidegger es el haber sospe
uesta dada, merecía ser revisada. En la medida q
do esa antigua respuesta, Heidegger nos acusa
bido al "olvido del ser". La pregunta por el tipo
no volvió a hacerse por mucho tiempo. Sin emba
ager, ella merece ser planteada nuevamente pues,
uesta podría ser muy diferente. Su propia respuest
ella ha resonado en muchos oídos que han creíd
filosofía una respuesta más convincente.

Il descubrirnos viviendo de respuestas a pregunt
hecho es inevitable. Estamos condicionados por
pertenecemos y nos remitimos a las condiciones
stra comunidad y de nuestra época. De ello no
ernos. Somos seres históricos y nunca dejaremo:
nos lo que hagamos, seguiremos siendo un pro
a historia. No nos está dado trascender los lími
a nos impone. Incluso cuando desafiamos es
emos por cuanto las propias condiciones his
en. Seguimos siendo seres históricos.

ero sin negar lo anterior, cabe entonces preguntar
actamente esos límites? Descubrimos que no nos

staríamos en condiciones de trascenderlos, de vi
llá de esos límites. Nuestra mirada sólo tiene el
límites nos permiten y no está en nosotros la pos
el condicionamiento histórico. Tenemos la posibil
initas maneras, pero todas ellas estarán inevitabl
nuestras condiciones históricas. Para todos los
, podemos vivir la vida como si fuéramos libres
nites no existieran. Pero, en rigor, la libertad es u
sólo se conjuga al interior de la propia historia
namiento.

emos, por lo tanto, vivir la vida de maneras muy di
tar por hacerlo con la ilusión de que lo que he hec
nece. Puedo tomar las respuestas que he ido reco
ino con la ilusión de que son efectivamente mías.
eré sino el eco de mis condiciones históricas, aun
éndome libre. Pero puedo también optar por rec
ionamiento histórico del que soy objeto y tom
s y someterlas a un proceso de evaluación, de r
indagación, de manera de determinar si las hago
s. Puedo vivir siendo pasivamente el mero reflejo
nes históricas o hacer de ellas el producto de mis ac
nes alcanzan ambiciones incluso mayores y sabi
nente condicionados aspiran a incidir en el curso
storia. A ellos los llamamos líderes.

ición, indagación y ser individual

rte de lo que hemos dicho hasta ahora quizás
se en lo siguiente. Tendemos espontáneamente a s
vos que indagativos. Sin embargo, proposición e i
n valencias muy distintas, tienen pesos diferentes.
ne en la proposición, habla para hablar y, al hacer

ına forma, esto es cierto.

'ero desde otro ángulo no lo es. El hablar que
:to de un proceso indagativo, suele no ser nuest
:a voz suele ser un eco de otras voces, de voces
. de otras personas, muchas veces de otras époc
de nuestra historia; voces que extraemos acrítica
ɔ común de la comunidad a la que pertenecemo:
lo repite voces ajenas. Cuando somos meramen
, todavía no somos realmente nosotros. Vivimo
:reyendo que ellas son nuestras, pero, en rigor, lɾ
lo escritos por otros.

.o que decimos, lo que hacemos, no remite a un for
ues aquello que podríamos llamar "nuestro" tod
construido. Somos sólo a medias. Y no nos dam
nos capaces de reconocer que nuestra vida, de ma
ɔrofundamente inauténtica. Y mientras nos manten
ı no hemos sido realmente, de acuerdo a lo que p
has veces no lo sabemos. "Nuestro" ser no es alg
ɔr construir y mientras sigamos en la meta proposic
mos ser está todavía por venir. Nuestra mayor respo
ida es hacerlo devenir. Nietzsche nos desafía y no:
:ne quien tú eres". Tu ser es un proyecto por cor
ıs dependerá de ti y está en tus manos, en tus accion
sables del ser que podremos llegar a ser. Ese ser po:
ıás importante en nuestras vidas.

.s en esto donde la indagación nos muestra su im
:encia de la proposición, en la indagación comenzɛ
os. La indagación nos conduce por uno de los cɛ
ɔ devenir. Cada vez que indagamos, que nos pre:
sentido de algo, que colocamos en cuestión algun

:ia una mayor autenticidad. Cada vez que inda
la posibilidad de sustituir voces ajenas, por voc
la vez más nuestras. Disipamos los ecos que en
tan. A través de la indagación, iniciamos el proc
ropia construcción.

de la indagación, desde la capacidad de poder en cu
no iniciamos un proceso que nos lleve a la verdad
ue nos plantean los primeros filósofos modernos.
alcanzaremos nunca, pues no está a nuestro alcanc
remos una mayor autenticidad. A través de la ind:
emos poco a poco a devenir nosotros mismos. Perc
idremos no es el ser que estuvo siempre allí, espera:
) liberado. Será un ser construido por el propio camir
ibertad se manifestará en la manera como lo recorr

ramos un minuto a Descartes. En su *Discurso del*
) opta por dudar de todo lo que ha creído sabe
duda incluso de su propia existencia. Decide reve
la propuesta de la escolástica y hacer exactamente
o que ella establece. La duda será su punto de parti
Nada será considerado como verdadero, nada que i
or el tamiz de la duda, de la indagación del propio fi
), sin embargo, se enfrenta a una primera experien
e reconoce. Al percibirse dudando se percibe a sí i
En su duda reconoce una señal inequívoca de que
lleva a exclamar "Dudo, luego existo". Reconc
da, el proceso de indagación que ella conlleva, es
r, Descartes pronto altera esta primera formulaci
en "Pienso, luego existo" (*cogito, ergo sum*). De esta p
l racionalismo moderno.

que se pierde de algo importante. Proponemos c
ás en la duda, antes de convertirla en pensamient
nos destacar es que la duda, sustento de la indagac
ler especial para constituirnos en seres autónomos
iguemos en el bagaje que hemos recibido, seremos n
onancia. Nuestro ser será fundamentalmente el rece
encontramos a la mano, ya dispuesto en la historia
iidad y que nos está dado por nuestra constitución
ir de lo anterior, asumimos una determinada par
os conduce a reconocernos "diferentes" de otros
: reconocimiento, generamos una suerte de "ilusió
por cuanto nos sabemos diferentes. Lo que nos
ferencia.

ostenemos que la diferencia no es un criterio sufic
:uirnos en un ser que logre hacer mejor uso de su
de ser. Desde el reconocimiento de la diferencia, t
un ser constituido desde la autenticidad. Sólo dev
:s auténticos en la medida que pongamos en cuesti
jue hemos tomado de prestado. Seremos seres a
iedida en que seamos capaces de reapropiarnos d
as de conferir sentido que hemos encontrado a
:mos nuevos sentidos por cuenta propia.

:s por sobre todo la duda, la que desencadena (
ito propio de la actividad indagativa, lo que me (
istencia auténtica. La duda no sólo busca revelar
. Por sobre todo, nos conduce a ser desde la aut
tanto, el ser auténtico no es sólo descubierto pe
. Es también generado por la propia acción de ii
ier no siempre asegura que soy yo realmente el (
o indago, sin embargo, adquiero una presencia d
transforma, devengo un ser de mayor autenticid

n, el proceso indagativo a su vez me constituye
tico.

ica podremos poner en cuestión toda nuestra tradic
le indagación arranca y se realiza al interior de la tr:
ertenecemos. Ello es inevitable. Pero una cosa es
: pasivo de esa tradición y otra cosa diferente es
:rior un espacio desde el cual aspirar a nuestra a
ser auténtico, por lo demás, no sólo gana compe
lir en el devenir de su propia vida, sino que está ta
iipado para incidir en el devenir de su comunidad
iación de las propias tradiciones a las que perten

o proceso indagativo suele terminar en proposi
ios de proposiciones para poder vivir. Por muc
is sentido de vida en el proceso de búsqueda que
. indagación, este proceso se orienta a desarrolla
es en las cuales sostener nuestra existencia. Tarde
:enemos la búsqueda, experimentamos el cansan
nto del que nos habla Pascal, y generamos conclu
iportante reconocer el papel que, en estas conclu
cansancio que nos lleva a detenernos.

implica reconocer que toda conclusión es prov:
lo hacemos nosotros mismos, luego de reponer:
, posiblemente serán otros los que las tomarán com(
para nuevas búsquedas, para nuevos cuestionamiei
ls Bohr, expresa este reconocimiento con gran c
se que emito no debe ser entendida como una afirr
ólo como una pregunta". Todo lo que afirmamos
ello de la conjetura.

dicho, podemos reconocer dos opciones de vida (
rtes contrastes en sus extremos, aunque en rigor
continuo en el que cada individuo se sitúa más
hacia el otro. Tenemos, por un lado, la vida que
camino de la proposición y, por el otro, la vida
senda de la indagación. Ya hemos señalado algu
ancias de cada una.

)uien privilegia el camino de la proposición se de
istencia inauténtica. Muchas veces, sus opinione
1 con las opiniones ajenas y pareciera no tener ve
¿ger describe acertadamente el fenómeno de la ir
los muestra cómo, cuando ese individuo es reque
stifique sus haceres, no es capaz de exhibir una v
le a diluirse en un sujeto amorfo y colectivo. Las
as hace porque así "se" hacen. Se viste como se
í "se" usa. Se comporta como se comporta, porqu
Ese "se" que aparece en su respuesta, nos revela la
onocerse a sí mismo como sujeto, nos muestra s
y es el sello de su inautenticidad.

Cuánto somos nosotros mismos y cuánto sólo
o de prestado de los demás? ¿De cuánto de lo que
1os dar razones propias? O, ¿cuán propias son
ones que damos, considerándolas propias? Las 1
emente no serán nunca terminantes. Muy pocas ve
zones son real y exclusivamente nuestras. Pero, ta
señalado, hay grados de mayor o menor auten
rados son el resultado de nuestra capacidad inda

.a indagación representa, por lo tanto, una segunc
vida. Quien vive desde la indagación concibe su

l y provisorio que guardan sus conclusiones, mues
posición a revisar sus interpretaciones, una dispo:
i es necesario y a reemplazarlas por otras. Cada ex
ve, cada nuevo encuentro, representan oportunid;
algo nuevo, de aprender algo distinto, de ser transf(
diferente. Sus certezas son menores y nunca ab:
encia del misterio se repite constantemente y sue
asombro.

la medida que esa misma disposición indagativa
;u relación con los demás, será capaz de escuchar
:onocerlos mejor, y la calidad de sus relaciones c(
)lemente mejor. Esto no es extraño. Al mostrar
› a escuchar a los demás, éstos se verán estimu_
ás frente a lo que él o ella puedan decirles. Su in(
más de los demás generará en ellos, muy posible
› interés hacia él o hacia ella. Pero no sólo sus rel;
; satisfactorias, cabe esperar también que sean m;
lo esto es muy probable que se manifieste en r
des de convivencia.

, por último, un aspecto adicional que creemos
)y en día enfrentamos lo que algunos han llam;
is "meta narrativas". Ello alude a esos grandes di;
itivos que en el pasado hacían de referentes de ;
a existencia. Esta situación es lo que se conoce
le postmodernismo, rasgo que algunos le atrib
)oca. Los que siguen esta corriente de pensamient
)s seres humanos hoy nos enfrentamos recurrent(
riencia de que estas grandes interpretaciones,
)ras de nuestra existencia en el pasado, mucha:
n perder sentido. Ello no acontecía así, de man
ida, en el mundo de nuestros abuelos. La expan:

de nuestros tiempos.

)e aceptar que ello es válido o que, por lo me
dad esto es válido para un número creciente de ii
os plantea que uno de los problemas más impo
a época es el saber resolver las sucesivas crisis (
sultan de la pérdida de poder que exhiben estas n
iones. Para nuestros abuelos, los problemas de s
apuntaban, por lo general, a cómo adecuar su
eferente de sentido, establecido por esas metas i
irmalmente no se cuestionaban. Allí estaba repre
) de la vida, firme, sólido, como roca. El problem
er adecuarse a él.

Ioy el problema es diferente. Comenzamos a darr
: no hay roca o que, las que creemos que lo so:
oyamos en ellas parecieran venirse abajo y no s
tenernos. Cuando encaramos esa experiencia, c
os dónde encontrar el sentido, quien ha llevado ha
a vida por el camino de la proposición, se suele
1ado y no sabe qué hacer. Vive la crisis con la
fragio. Lo que antes se sujetaba y era duro, ahora
e agua.

)uien, por el contrario, está habituado a caminar p(
1dagación, se encuentra, al menos, mejor equipad
vitarle la crisis. Pero lo provee de mejores herrami
tarla. En su capacidad indagativa encuentra las c
1ra desarrollar un proceso de regeneración de s
eda de nuevos referentes interpretativos, desde
a sostener su existencia. No nos olvidemos: u
fundamentales que caracteriza al ser humano es
requiere sustentar su existencia en el juicio de q

ner vivo ese juicio, su propia vida queda compro
nta a la posibilidad del suicidio.

en sabe hacer de la búsqueda una fuente de sen
mejor la experiencia de saberse perdido, en la
a generar esperanza en la búsqueda. Su capaci
le preguntarse, puede ser capaz de sostenerlo. Pere
ituado a que su sentido de vida le haya sido coi
minadas respuestas, cuando éstas se derrumban, se
abandonado por sus respuestas y muchas veces
Descubre que había vivido su vida con la impres
seía ciertas respuestas. Ahora descubre que en r
iestas lo poseían a él.

ndo procuramos conocer a alguien, puede ser ú
sobre las preguntas que dan cuenta de la forma de
na. ¿Qué preguntas se hace? De esas preguntas, ¿
ue juegan un papel especial en guiar su vida? ¿Ei
aya en determinada dirección y no en otra? Qui:
emplazar el término "pregunta" por el de "búsc
ma forma, nos podemos preguntar, ¿cuál es el
s que esa persona no se hace? ¿Y por qué? ¿Que
pera acaso al interior de un sistema que no le da
intas? ¿O existe acaso algún temor que lo detiene
s trivial.

ina manera importante, nuestras preguntas (o la
is) nos constituyen. Ellas definen un tipo de exi
:. En mayor o menor grado, tenemos áreas en
guntas es un tabú. Esto no puede sino jugar ui
ante en nuestras vidas. Hay personas, por ejemp
alquier pregunta sobre la muerte, hay otros que r
ntas sobre la sexualidad. ¿Cuáles son las pregun

:eviéramos a preguntar?

.utoindagación

.a indagación puede ser dirigida en muchas direcc
1 embargo, tienen la importancia de aquella que
1osotros mismos. Lo curioso es que muchas vece
o no es necesario. Vivimos desde la ilusión de cre
emos. No cabe duda de que tenemos algún con
;otros. Después de todo, estamos siempre con
)s y somos sujeto de nuestras propias experienc
impresión de saber lo que sentimos y por qué lo
1os también la idea de que sabemos por qué ac
té lo hacemos de la forma como lo hacemos. Pa
: mucho por saber.

'ocas cosas son más difíciles de disolver que esa
)s conocemos. Sin embargo, mucho de lo que sc
nosotros permite ser disputado. Hay un experi
, en biología que nos muestra algo de esto. Fue
)ger Sperry en la década de los sesenta. Sperry t1
luos que tienen afectado el cuerpo calloso en el
or lo tanto, tienen comprometida la comunicac
hemisferios cerebrales. Lo que el experimentad
arle al individuo investigado una instrucción de m
llegue a un determinado hemisferio. Al recibir l
:l individuo la ejecuta. En seguida se le pregunt
) que acaba de hacer, pero la pregunta se le hace c
ta sea recibida por el otro hemisferio. En la med1
viduo no tiene comunicación con el hemisferio q
:ucción, desde el hemisferio que recibió la pregu1
plicación que no guarda ninguna relación con el
zo lo que hizo por cuanto le fue instruido hace

ι del hecho que la ha inventando.

:mos este ejemplo a colación pues nos ilustra un fє
כ sólo sucede con los individuos que tienen afec
lloso. Las razones que damos sobre el sentido de n
ιmientos y las explicaciones que damos sobre nє
nuchas veces son tan arbitrarias como lo que nos
ιento de Sperry. Ellas no son sino interpretacione
portamientos y sobre nosotros. El que sean nuesі
ue ellas tengan necesariamente más validez que
ofrecer otros.

: experimento nos revela que los seres humanos ter
: todo lo que reconocemos que nos acontece, in
nte de la validez de las explicaciones ofrecidas. ᴜ
rvamos lo llenamos espontáneamente de explicа
veces lo hacemos de manera completamente ark
ʳeces no nos sucede que creemos que nos compo
articular manera debido a determinadas razonє
:cubrir que quizás había razones muy diferentes
amente no sospechamos. Cuántas veces no nos aс
nos muestra una dimensión de nosotros que m
ɔropias interpretaciones.

ndo hemos abordado el tema del aprendizaje,
› que es posible trazar una distinción que sepa
o que sabemos que sabemos y lo que sabemos
y, por otro lado, lo que no sabemos que sabem
bemos que no sabemos. Este segundo espacio, lo
'ceguera cognitiva". Es preciso advertir que el tє
o nos gusta por cuanto nos lleva a presuponer quє
ʝue no vemos, algo que efectivamente está allí,
de hacernos olvidar que sólo operamos en terı

eguera cognitiva.

.o que nos interesa sostener es que nosotros, para
.s, nos situamos en el espacio de nuestra ceguera
.r de la presunción que hacemos de conocernos
.ocernos mejor de lo que nos conoce cualquier o
rigor nos conocemos muy poco. Somos profu
iosos ante nuestros propios ojos. Nietzsche lo di
a magistral: "nosotros, los que conocemos, n
.ocidos". Pero lo interesante es que este descon
;otros mismos no se acompaña con una falta de
es sobre cómo somos. Por el contrario, estamos
:etaciones sobre cómo somos y sobre el papel que
que hacemos. Pero, por lo general, estas interp:
ser deficientes y con una alta carga tergiversado:
nos sobre nosotros mismos, pocas veces logra s
z que desarrollamos un proceso indagativo rigu:

.s posible que, a algunos, lo que acabamos de de
es muy extraño. Pues bien, lo que estamos soste
imente que el hecho de que les suene extraño nc
i la medida que creemos que nos conocemos, la
que nos somos desconocidos no puede sino res
a. La reacción de extrañeza, por lo tanto, no cor
:cimos. Es la reacción esperada. Lo único que,
invalidar la idea de que nos somos desconoci
con cierto rigor un proceso de indagación diri;
os y verificar lo que en él sucede. Allí deterrr
) efectivamente nos conocíamos. El resto sólo c
scusión inútil.

.a idea de que nos somos desconocidos, con todo, c
Los griegos ya se habían percatado de lo que so

rtantes del mundo griego, se leía la inscripción "Cc
o". Este mensaje ejercería gran influencia en el
en general, en la cultura griega. Sabemos que He
ónico con quién mantenemos gran afinidad, decla
Indagué en mi propia naturaleza", abriendo con
mino de exploración que luego será seguido por r
mos sostenido arriba cómo Sócrates compromete
uerzo de poner en cuestión los presupuestos de
eramos, o creemos operar, y destaca la importa
sustentada en la actividad indagativa.

le Sócrates no debe tampoco extrañarnos. Ningu
vida, de alguna forma, puede prescindir de este p
ición interna. Quien concibe la filosofía, no cor
to, sino como forma de vida, sabe de la importa
a sí mismo. Luego de Sócrates, el segundo gran f
ı ha sido Friedrich Nietzsche. Su propia vida, c
manifiesta, es un proceso de permanente y pr
ın personal. No se da cuartel. Es implacable c
Desmonta una y otra vez sus propias versiones ic
iversadoras de sí mismo. Sigmund Freud nos señ
nocido otra persona que haya realizado un proc
ción tan profundo como el que lleva a cabo Nie

todo, debemos reiterar nuevamente algo que señ
encia. El ser humano no es un ser acabado sino ur
o de construcción permanente. No sólo somos afir
nbién promesa. El proceso indagativo dirigido ha
o consiste en revelar cómo somos, aunque algo
encontraremos. Se trata de un proceso que, por :
os constituye de por sí en seres diferentes. No po
dagación, por un lado, y el ser que somos, por el c
lagativa nos afecta, ella transforma el propio ser qu

⟩ se indaga. Y va siendo diferente en la medida que
ción avanza.

Iemos sostenido que la acción genera ser. La i⟩
⟩ acción que ejecutamos y toda acción nos cons⟩
⟩o, por el hecho de ejecutarla ello me constitu⟩
a particular, manera que no se produciría si opta⟩
rme. Lo hemos dicho tantas veces. El mayor d⟩
tamos los seres humanos no es el conocernos a⟩
⟩s. El mayor de nuestros desafíos es el de inventa⟩
mismos. Los seres humanos participamos con⟩
cto sagrado de nuestra propia creación. Lo hac⟩
as acciones y una de estas acciones es la acción de i⟩
tros mismos.

latón, citando precisamente a Sócrates, nos d⟩
ía algo que recoge todo lo anterior, "Una vida r⟩
merece ser vivida". Una vida sin desplegar el g⟩
tivo que poseemos los seres humanos es una v⟩
or debajo de nuestras posibilidades. Es una vid⟩
a desaprovechada. El poder indagativo que pose⟩
e proporcionarle a la vida un sentido de plenitud⟩
la búsqueda permanente, que de lo contrario n⟩
⟩s de obtener.

icho que el escuchar es activo. Esta dimensión ac
a tiene, al menos, dos sentidos diferentes. El p
jueda de manifiesto en el reconocimiento del c
ıtivo de toda escucha. El escuchar conlleva, de pa
"acción" de generar una interpretación frente a
dice. Tal interpretación le permite al oyente cor
lo dicho por el orador. Lo que diferencia el acto
le escuchar es precisamente la acción interpretat
a a este último.

) existe una segunda dimensión activa del escuc
e a nuestra competencia indagativa. De quedarn
ıera, escucharemos sólo cuando los demás tiener
s. La iniciativa del hablar del otro queda en sus :
ción del indagar revertimos lo anterior. Asumim
dad frente a lo que el otro dice y frente a lo que r
s si aquello que dice es suficiente para garantizar
a escucha más efectiva, un sentido más profunc
. Cuando indagamos lo hacemos por cuanto enten
ciativa de lo que el otro dice no es sólo suya, tam
Depende también de nosotros. Realizamos la ac
ara que el otro diga lo que no ha dicho, o para que
davía no entendemos. En otras palabras, nos ha
bles de nuestra escucha y buscamos que el hat
Jecue a nuestro propósito de poder escucharlo
vel, la escucha es activa por cuanto resulta de i
: indagar.

:hos de nuestros problemas guardan relación cor
ultades para escucharnos. Cada vez que dejar

.l, cada vez que lo juzgamos incoherente, cabe l;
: dar vuelta la mirada hacia nosotros mismos y
a propia escucha. El otro es siempre comprensib.
tan sólo en el sentido de que lo que hace es el
rio de su historia y de las condiciones que lo acon
render, sin embargo, no significa necesariamente
irtir lo que el otro dice, lo que el otro hace. La co
.e restricciones y, en función de ella, demandam
)rtamientos y objetamos otros. Ello nos condu<
:aciones, a pedir cambios. Sin embargo, ello n
:ometer nuestra capacidad de comprensión del
·ensión es un resultado de nuestra competencia]
)s mutuamente.

Ino de los problemas más frecuentes en nuestras
ı a nuestras incompetencias para escucharnos. D<
a pareja "Ella (o él) no me escucha". Entre padı
frecuentemente el reclamo, "No me escucha".
:n las relaciones entre colegas, en la relación co
menudo sostenemos, "No me escuchan". Cab<
ıbargo, que cada vez que decimos lo anterior, t<
;ión de que el problema tiene que ver con los den
de que no nos escuchan.

'ero no siempre nos damos cuenta de las veces que
.an que somos nosotros los que no los escucha
herramientas de que disponemos para hacernos
. la indagación. ¿Cuántas veces les pedimos a los <
gan más sobre lo que han hecho o sobre lo qu<
to indagamos cuando interactuamos con los deı
mos, muy posiblemente se sentirán más escuch;
ís. Si incrementamos nuestra indagación con los
robable que estimulemos la indagación de ellos

:ar la indagación modificamos el carácter y la cal:
:elaciones.

ndagación nos proporciona otras ventajas adici
podemos recurrir a la indagación para saber má:
:. También podemos recurrir a ella para saber má
mismos. Una cosa es la mirada que nosotros te
:otros mismos, otra muy diferente es la mirada (
nen de nosotros. Desde nosotros hay mucho sol
e no somos capaces de ver. En la mirada que los
:n, se revelan aspectos de nosotros que, al enterarn
:rtan. Estos aspectos, que por lo general revelan a:
de nosotros, pocas veces nos son comunicados
:n las cosas que ellos habitualmente nos callan. L:
:lad que tenemos para enterarnos de ellos, para v
:regirlos, para convertirlos en posibilidad de apren
:ndo. Quien no indaga sobre cómo los demás n
ite podrá descubrir la imagen que proyecta de sí, l
:lica que crea en los demás. A menos que nos pr(
mos al emperador que anda desnudo.

igación, la gestión y el desempeño de los equipo:

:yris, profesor de la Universidad de Harvard de qui
hemos tomado esta distinción inicial entre propo:
:n, nos ha mostrado que ella reviste especial impo
:ar cuán efectiva es la comunicación en las organiza
:s problemas que se presenta en ellas, es que la c(
nde a ser altamente propositiva y escasamente in
:egún Argyris, termina comprometiendo el dese
la organización. Para mejorar su nivel de efectivi(
:iones deben aprender a ser más indagativas.

los temas de gestión y la empresa, Peter Drucker

en el hecho de que la gestión empresarial no siempi

inguir entre lo que él llama "doing things right"

)ien) y "doing the right thing" (hacer lo que es a

ontece, según Drucker, por cuanto "la fuente de ei

t en las decisiones de *management* es el énfasis en en

sta correcta en vez de buscar las preguntas adec

'n la medida en que el trabajo manual progres

tituido por el trabajo de conocimiento, la im

ar una verdadera "cultura indagativa" en la em

correspondientemente. Como bien sabemos, (

onal de gestión, se sustenta en el mecanismo de

rol", mecanismo que prácticamente elimina e

r preguntas. Bajo el "mando y control" se esp

tdor simplemente haga lo que se le instruye. C

o del trabajo sustentado en el conocimiento, e

zacional es nefasta. Ahora emerge un tipo de t

tele saber mucho más que su jefe, en su respe

ecialidad. Por lo tanto, cuando recibe requerim

: es fundamental permitirle evaluar si aquello

s la solución más adecuada al problema que d(

n indagación no hay verdadera colaboración,

ración, sino sólo obediencia.

ta investigación sobre el desempeño de equipos

empresas, conducida por Marcial Losada, quien (

:e Lab del Center for Advanced Studies de EDS, at

dirección. Los equipos de alto desempeño, nos di(

uipos que en su dinámica de interacciones se ca

que él define como una alta conectividad. La cor

)or lo tanto, el factor clave en el desempeño en lo

ien, uno de los factores asociados a esta conectiv

:quipo se observa entre proposición e indagació

equipos de bajo y mediano desempeño exhiben
na reducida conectividad, la que se ve acompañad
ser altamente propositivos. Los equipos de alto de
contrario, a la vez que exhiben una alta conectivi
n por cuanto logran equilibrar proposición e inda;
gación de Losada no sólo muestra una correlació
vidad y la relación entre proposición e indagació
ectos destacados de ella es que demuestra que esta
:or determinante para que la conectividad se gen

igación y la calidad de las relaciones personales

io ampliamente reconocido para evaluar las rel;
s, como lo son las relaciones de pareja, o las rel;
res e hijos, es la comunicación que caracteriza la re
viamente el único factor. Pero se trata de uno de l
nayor incidencia en la calidad de la relación. No :
comunicación sirva para mejorar la calidad de re
lorada en sí misma como un aspecto de calida(
ɔ es el único factor y hay otros que inciden en la re
:ia de esos otros, la comunicación tiene un efecto
ɔio efecto que los demás factores ejercen.

los observado, por ejemplo, que cuando los ind;
n su infancia, el carácter de esos recuerdos, su dim
› negativa, en último término está dada por la cal;
icación que existía en el entorno familiar. Mucha
isado en nuestro trabajo que mientras las persor
una infancia paradisíaca, se detienen y señalan,
: vuelvo a recordarla, me doy cuenta de que éram‹
ue nos faltaban muchas cosas. Curiosamente no la

.s veces añorar o poder repetir la experiencia de l:
.o ello sucede, uno constata que el factor determ
.unicación.

'uando la comunicación anda bien, no sólo ello su
.spectos que pudieran ser negativos, ella misma
.s participan de esas relaciones hacerse cargo de l(
.e enfrentan de una mejor forma y avanzar ya se
'n o hacia atenuar sus efectos. Pues bien, el secr(
comunicación reside en la capacidad de escucha
embros. Si ellos se sienten escuchados, tendrán e
:iste entre ellos una buena comunicación. La in
. dicho, es una competencia al servicio de la es(
dida, es una herramienta fundamental en la cali(
nes. Cabe, por lo tanto, preguntarnos: en mis
.ales, ¿cómo evalúo mi competencia para indaga
.arían los demás? Si ella no es suficiente, ¿qué pr
do? Y, ¿qué pasaría si me comprometiera a incre
:fectos tendría eso en mejorar la calidad de mi r(

ndagación y el arte de hacer preguntas

.r de lo expuesto, es muy posible que el lector se est
to que llamamos indagar es lo mismo que pregi
. hay una relación muy estrecha entre ambas ac(
.tar es efectivamente la manera más frecuente d
.bargo, es conveniente separar ambos términos.
. no siempre una pregunta permite ser reconoc
.lagación, como, de la misma forma, cabe reconoc
.as de indagar que no siempre se articulan utilizand(
tical de la pregunta.

ejemplo, los casos de las llamadas preguntas re
ıe utilizamos la pregunta como recurso expresi
ɛseo de que se nos entregue una respuesta. Lo hɛ
mente. Decimos, por ejemplo, "¿Por qué diablo
ió eso antes?". El deseo de saber lo que impidió ɕ
no es precisamente lo que nos mueve a hacer la pr
la inquietud detrás de la acción de preguntar. (
'¿Cómo pudiste hacer eso?", lo que esperamos n
e nos informe de cómo eso fue realizado. Util
ia gama de preguntas retóricas. Las hay también ɛ
ırácter. Si le decimos a otro "¿Crees que soy iml
os exactamente a la espera que el otro nos re:
ʻo". Si el otro contestara la pregunta, quizás sólo l
·nos más. Lo mismo con la pregunta "¿Eres estʻ
", tampoco esperamos que el otro nos responda
go". En rigor, hago esa pregunta por cuanto est
do que no es estúpido.

muchas otras ocasiones en las que preguntamos sin
ɾ recibir la respuesta a lo que en rigor se pregunta. (
·mos con otro en el pasillo y le decimos "¡Hola! ,
que menos esperamos es que nos detenga para coɪ
detallada cómo se encuentra. Lo que esperamos
ɛntemente de cómo se sienta, nos diga "Muy bien, ɕ
ɔsiblemente diríamos "Bien, gracias" y seguiríamos ɗ
ı sólo de un ritual de saludo que no requiere más que
ɛstablecidos. De no hacerlo, es posible que el otro se p
ɛ pasa a éste?". De ir más lejos, es posible que se preç
ɛ trata tan sólo de ejecutar un ritual de saludo.

dimos a la pregunta por una gran variedad de inqu
ɔ siempre incluyen el deseo de escuchar al otro. E
ɔrá pregunta pero no hay acción indagativa. Mucha

ısición embarazosa, o por cuanto queremos que
no vaya en una determinada dirección, o simplen
que nos pregunten algo a nosotros. Las razones so1
nfundamos, por lo tanto, la presencia de la forma ʒ
regunta, con la genuina acción del indagar.

)e la misma manera, hay también formas de in
:en uso de la pregunta. Si le digo a alguien con q
:sando "Cuéntame más", estoy indagando. Y, sin
e preguntado nada. Podría haberlo hecho de una m
ıte y haberle dicho "¿Podrías contarme más?". Pe
o es la respuesta a mi pregunta lo que busco. Si ɛ
de, "Sí, puedo" con ello no satisface mi inquietud
estoy haciendo es una petición. La petición de que
ɔda indagación involucra la petición de que el otro h
ı que me interesa. Pero una petición no recurre neceɛ
:ma gramatical de la pregunta. Ella puede asumir lɛ
do que me cuentes más". No hay pregunta.

)e la misma manera como decimos que toda iı
cra una petición, también podemos decir que todɛ
cra la petición de una respuesta. Pero lo que nc
ʒuir la indagación no es su forma gramatical, ni tɛ
ɔcerla como una expresión del acto lingüístico de lɛ
ıdamental es el poder remitirla a la inquietud ɵ
ıo de que el otro muestre el observador que es. ⱡ
rior, reiteremos lo sostenido inicialmente. La preʒ
ıienta más frecuente y una forma efectiva para iı

'l filósofo liberal británico, Isaiah Berlin, nos i
ıimos de una tradición, tradición que nosotros
física", que adopta una determinada postura fr
ıtas. Ella se funda en el supuesto de que para todɛ

la razón. Según el mismo Berlin, hoy estamos c
te supuesto. En rigor, sostenemos que son muc
; que no tienen solamente una respuesta acepta
or lo demás, nos es inaccesible. Para muchas pre
:stas posibles son infinitas.

, sin embargo, no significa que todas estas resı
lmente válidas. Pero el criterio que distingue el gı
: esta respuesta no es la verdad, sino el poder que
na de ellas, lo que puede y no puede hacerse a pː
y, en último término, cuanto nos sirven para uı
ı de sentido y para una convivencia mejor con los
del que hablamos no tiene como referente funda
as individuales, aquello que a mí me beneficia, pı
ıllevar consecuencias negativas para otros y por l
ınjunto del sistema que todos juntos conformar
básico de nuestra noción de poder es el bienestar ¿
ıunidad en su sentido más amplio.

matríz básica de la indagación

ndagación horizontal

ntamos horizontalmente cuando estamos recogie
n general, en muy distintos dominios, sobre una
persona. Un ejemplo típico son las preguntas qu
enso. Allí se pregunta sucesivamente por el nom
), la edad, el nivel de educación, el estado civil, la
l, etc. Las preguntas horizontales nos permiten, pe
ar aquello sobre lo que preguntamos, saber a qué
ece. Cuando estamos conociendo a una persona pe
uando nos encontramos con alguien que no veíar
iempo, comenzamos la conversación haciendo
ntales. Cuando iniciamos una conversación más
guien que conocíamos sólo superficialmente, es p
amos previamente a completar la información l
lemos sobre ella, a través de preguntas horizontale
a un médico por primera vez, éste inicia la entr
tas horizontales. En general, se trata de una mo
tas a la que solemos recurrir con frecuencia ce
nos una situación nueva. Como decíamos previa
tas horizontales nos ayudan a situarnos en la sit

ndagación vertical

eguntas verticales se diferencian de las anteriores r
n foco. Ellas surgen cuando seleccionamos un dor
de conversación y deseamos profundizar en él. A
preguntas horizontales, que nos dan la aparienci
dominio a otro, las preguntas verticales nos pr
ión de un avance progresivo en un mismo domir
as respuestas que obtenemos, surgen nuevas pre

enemos la impresión de estar "calando" en un ¡
la superficie aspectos que previamente pueden ha
fícil acceso.

nás importante en el arte del preguntar vertica
l de generar preguntas a partir de las respuestas d
:s importante aprender a evaluar con cierta rapidez
ne recibimos. Si estamos muy nerviosos cuando ha
,untas, si estamos muy despegados de las inquietu
y preocupados de nosotros mismos, o si vivimos
uy poco auténtica, dependiendo mucho de las opi
más, es muy posible que ello inhiba nuestra cap
r lo que nos dice y de profundizar progresivame
n específica que estamos abordando.

rincipal fortaleza en la capacidad del preguntar v
l hecho de que ambos interlocutores son observ
. Por lo tanto, lo que para uno es una respuesta suf
luso aquietadora, para el otro que la escucha, esa
encierra enigmas a partir de los cuales surgen ¡
ɔara seguir preguntando. Este es un tipo de inda
emente marcado por una estrecha empatía por lc
:uenta, o por el carácter del problema que enfren
tante asegurar que esta indagación no sea artific
nento de preguntarse sobre la competencia esp
íamos estar usando en la conversación. La herra
ɪdelante podamos utilizar para resolver lo que ha
serás escogida por la situación que en esta fase e:
lo comprender. Lo central es enfocarnos por en
ler la situación. Lo que expondremos a contin
inado pensando en una interacción de *coaching* en
: nos acerca para que lo ayudemos con su probl
se trata de un problema técnico) que siente que

ching.

'ara esto solemos disponer de dos caminos. Mu(
eben ser recorridos en forma combinada. El prim
el que llamamos el camino de la estructura. De
s de conocer a fondo la situación que se nos pr
una suerte de microscopía de la experiencia con(
a situación se revela. Para estos efectos, no podem(
ación en abstracto. Tenemos que remitirla a ex
:tas. Si alguien nos plantea que tiene un determina
:ma y deseamos ayudar a resolverlo, es imprescii
ncentremos en instancias concretas en las que ese
resa. Podemos decirle, "examinemos una oport
aconteció aquello que me relatas".

Jna vez que disponemos de esa experiencia cc
)s interesa es explorar su carácter. Lo primero es
xactamente. Nos interesan las afirmaciones. Pero
;a saber cómo la persona afectada hizo sentido d(
En otras palabras, deseamos conocer el tipo de o
]ue esa persona se constituyó en esa particular
nplica preguntarle por sus juicios e interpretacion
;te cuando enfrentabas eso?", "¿Qué te decías mi
:cía?", etc.) y por sus emociones ("¿Qué sentías m:
:cía?", "¿Y por qué sentías eso?", etc.). Sabemos qu
ones están estrechamente unidos, que son dos ca
. medalla y, por lo tanto, sabemos que unos nos
)tros y viceversa.

'rocurar entender el tipo de observador en el qu
e constituyó al encarar la situación concreta que
) muy importante. Tanto el problema que se nos
nera de formularlo, como las dificultades que lu

a situación se constituyó y, por lo tanto, por el s
que esa persona le confirió a lo que acontecía. N
la de poder encontrarle a la situación un sentido d
operar frente a ella como un observador diferen

oniendo de una primera comprensión sobre
rador con el que tratamos, suele ser importante
lo camino. Se trata de lo que llamamos el camin
as preguntas que ahora nos planteamos son dife
no nos interesa examinar la situación en su estu
en lo que estaba involucrado "mientras" la sit
ollaba. Aquí la mirada se dirige al pasado. Lo qu
ndo camino son preguntas del tipo, "¿De dónde
vador?" "¿Cuándo se constituyó?", "¿Qué exper
i esa particular manera de conferirle sentido a si
éstas?", "¿En qué sistemas se generó este pai
or?", "¿Cuáles fueron las relaciones a partir de las
esta forma de dar sentido y de actuar?"…

en se mueve con soltura en la indagación vertica
es un proceso que, en determinados momentos
os algunas sorpresas. El camino inicial suele in
oscuridad. Pero a medida que avanzamos, el c
progresivamente a iluminarse. Empezamos a ver
nbién más lejos. Pero con todo, siempre existe una
a. Hay momentos, sin embargo, en los que se
o la luz de un relámpago y súbitamente hay áreas
reas que previamente estaban completamente os
no es un momento que pueda ser diseñado. Pero
muchas veces, es sólo cosa de saber esperarlo. Y
or la capacidad de espera suele pasar la línea que
dores de los que no lo son.

del puzzle que hemos ido recogiendo a partir

s recibidas, parecieran de momento conectarse. N

tiplicidad de elementos dispares que disipamos

es de comportamiento, emergen patrones de con

itido. Nuestro entendimiento sobre el otro par

to. Pareciéramos entender cómo el otro opera,

que le pasa, por qué genera los problemas que g

remos dar cuenta de esta experiencia, podemos

relación con la geometría o con la arquitectur

s ahora adquieren forma. Vemos patrones, config

turas, coherencias. Emerge orden, aunque pued

den que da cuenta de un desorden. Pero ahora

o. O, al menos, pareciera hacerlo.

os patrones de los que hablamos pueden ser de

es de sentido (observador) o patrones de compo

). Los segundos se refieren a modalidades de

a determinadas situaciones. Frecuentemente, par

prometido en su situación, su manera de reaccio

se le presenta como la manera obvia de encarar

ador comprometido, su comportamiento es "nor

os sabemos que no hay tal normalidad. Ello d

a manera de caracterizar un determinado compo

xiste la habitualidad, la forma como nosotros

en otros– recurrentemente actuamos frente a det

ones. El juicio de normalidad tiene un efecto leg

atorio que muchas veces es necesario cuestiona

sta experiencia es el punto crucial de la innov

rimiento, de la capacidad para hacerse cargo de

nica que no tiene parangón, o de una persona

para que la ayudáramos a resolver un problema q

ada. Nos encontramos con esta experiencia en s

tamos pensando, pero que el pensamiento nos cc
s, a pesar de nosotros mismos. Claramente, no
tros hagamos. Pero sí podemos diseñar las cond
e las cuales esta experiencia suele producirse. Est
que podemos hacer. Y no es poco. Sólo puedo c
ciones, los sistemas, los "cultivos" que poseen es
erativa.

ıgación transversal

riencia con la que suele culminar el proceso del pre
; el punto de arranque de otra modalidad del pre
mos transversal. Muchas veces sucede que saltan
n transversal sin que la indagación vertical haya ar
ıayores resultados. En estos casos, hacemos el sal
ii por otros lados encontramos pistas que no loş
n la propia indagación vertical.

centrales en la indagación transversal es el cambio
biendo explorado algunas experiencias concretas
que correspondían al problema declarado, bus
si los rasgos o patrones allí encontrados se ex
iios diferentes. Se trata, evidentemente, de do
deramos que poseen alguna afinidad con los tér
dos en la situación original.

ıdagación transversal busca verificar si aquellos ra
encontrados en un determinado dominio, están ta
en otros dominios de comportamiento. Es muy ı
rón detectado sea un patrón circunstancial, remitic
rticular, o sea un patrón de aplicación restringida
ıinado dominio. Pero es también posible que ese ı
to en un dominio particular, se repita en múltiple

ersona que esté arraigada en su forma particular

Veamos un ejemplo. Estamos conversando con un
una situación específica, un particular conflicto qu
on su hija. Al indagar verticalmente comenzamos a
erminado patrón (modalidad recurrente) de inte
ituación relatada (observador) y de comportamie
n). A partir del particular observador que nosotros
que esa persona produjera esa particular interpre
o obvio. Esa nos parece que no era la única inte
e. Reconocemos que pudo haberla interpretado o
iferente. En vez de responder culpándose por lo
i, pudo, por ejemplo, haberla hecho a ella respo
al pasar a la acción, en vez de haber tomado el
anos, pudo haber hecho que fuera la propia hija
i cargo de resolverlo.

Ello abre de inmediato distintos caminos para segu
indagación. Un primer camino pudiera seguir pro
guir indagando verticalmente, pero cambiando ta
o de la estructura al camino de la historia. De t
n, lo que buscamos es poder establecer de dónde
itrón. Preguntas posibles, ¿Hubo algunas experie
o que lo generaron? ¿Cuál es la raíz de esa culpa o
la situación que ya hemos explorado? ¿Hubo aca
encia pasada que llevó a la madre a tener el juicio
actuando con su hija de acuerdo a su plena res
omo madre y a partir de lo cual cada vez que su h
dificultad tiende a pensar que la responsable es o
hecho entonces lo que debía? ¿O proviene eso ac
a que le enseñó que ésa era la manera de reacciona
onaba su madre con ella cuando algo similar le acon
opción y no existe un libreto preestablecido que

intuitivamente aquella que le parece más adecuad

existe una posibilidad diferente. Se trata de sus
ción vertical en los dominios directamente involu
ción declarada y pasar a otros dominios supuest.
n qué consiste esto? ¿Cómo se traduce este cam
ación? Lo importante es ser capaz de percibir en
cido no sólo una experiencia concreta, sino habe
dicha experiencia una particular manera, una for
entido y de actuar. Es el reconocimiento de una
ue hemos llamado un patrón. Habiendo detecta
e patrón, la indagación transversal busca detect.
repite en dominios diferentes de aquellos en l
involucrada la hija. Quizás algo similar le sucede
quizás lo mismo le sucede en el trabajo, o con los a
trate de una modalidad de ser, de conferir senti
e está presente en esa persona y que tiene una in
lativa del carácter concreto de las circunstancias
persona se encuentre. Quizás nos hayamos ac
podríamos considerar como un rasgo important
estructura de coherencia.

propio de la indagación transversal, por lo tant
un determinado patrón (de interpretación o de ac
mprobar si se trata de un rasgo propio de la perso
n múltiples dominios de su existencia. Es muy posi
nos que este patrón no se aplica siempre, que requie
zca de determinadas condiciones que lo desenca
tanto posee algunas restricciones. Esto es posibl
ante es que estamos buscando un rasgo en la mo
una persona (en su modalidad de observar y de
ende las circunstancias concretas de la experien
decimos que se trata de un patrón que apunta a

gación transversal es, por lo tanto, su búsqueda de
ión que se expresa en dominios diferentes, es el trá
ilar a lo general. Pensamos que lo dicho debiera ser
ntender la indagación transversal.

ndagación ortogonal

ueda, sin embargo, una última modalidad indag
preguntas. La llamamos la indagación ortogonal. I
ilizamos remite al griego. En griego el término ort
cto". Ortografía significa, por ejemplo, el escrib
to (orto). Es importante no confundir el términ
n octogonal, que alude al número ocho (octo). U
nino ortogonal para dar cuenta de un tipo de i
al que se orienta por la necesidad de alcanzar u
itido. Así como la indagación transversal explor
lad, la indagación ortogonal se rige por la búsqu
l. Expliquemos primero el contexto a partir del
esidad de esta unidad.

Muchas veces nos sucede que, abordando una de
ón o persona, tenemos la sensación de que algo nc
ementos que recogemos parecieran no ensamblar
, no conforman una unidad coherente. Algo fall
entido. Cuando ello acontece, solemos tener dos r
nera se expresa con el juicio de que la situación o
la que indagamos simplemente no es coherente.
dirigido hacia fuera, hacia el otro, hacia lo que ac
e un juicio externo. Lo culpamos de nuestra difi
la reacción se expresa con un juicio de invalidació
nosotros mismos. Decimos, "Esto me supera", "
lerlo", etc. Ahora, nos culpamos a nosotros. Nos
sencia de un juicio interno. Lo único que está cla

)demos resolverla. Esto nos pasa a todos innumo
a vida. A partir de esos juicios, surge una tercera
:ción: tiramos la toalla, desistimos de seguir inter
ler, nos resignamos. Nos suena conocido, ¿verdad
pasa a todos. Lo que deseamos es explorar una
tirar la toalla.

quienes sostienen que el factor más importani
ı batalla es simplemente saber durar más que el
:riunfo no es necesariamente del más fuerte. El
:n dure más. Derrotado es aquel que tira antes la
ıprobado que muchas veces terminó como vence
a el bando que había tenido las mayores pérdidas
ıs debilitado en el momento en que el otro se ret
ıto que abandonó el terreno de batalla o simplem
ı el calor del enfrentamiento resulta muchas veces
ıar cuál de los dos adversarios está en mejor po
;e enfrentan, normalmente no lo saben. Sólo co
ıs dificultades, pero no conocen las del otro.

errota, por lo tanto, se da muy a menudo —no siemı
de la subjetividad, en el terreno de las interpretacioı
la uno de los antagonistas. La victoria es de aquell
sistir, de los que esperan, de los que resisten fren
:s. Vencedores son aquellos que quedan cuando los
irado. Es sabio, por lo tanto, aprender a evitar la ro
ıo de los grandes secretos del saber vivir y posiblo
; menos reconocidos.

ue debemos procurar evitar, por lo tanto, es tirar la
rlo, es importante examinar la situación que nos p
ıacerlo y procurar discernir caminos alternativos
:l punto, lo sabemos, es durar más. Pero esto, ev:

:s de revertir la situación y vencer lo que mucha
:esenta como obstáculos insuperables. Es aquí (
ra su gran poder lo que llamamos la indagación (

.as preguntas ortogonales suelen surgir cuando
racterizan una situación parecieran no calzar. L(
1 es lograr hacer coherente lo que aparentement(
1ferir unidad de sentido. En algunos casos esto
a como hacer coherente la propia incoherencia. D(
1 poco en esto. Tomemos las dos maneras de enj
5íamos antes, a través de las cuales encaramos un
e sentido: el juicio externo y el juicio interno. Y
:s de algunos ejemplos.

upongamos que estamos conversando con un
)s reporta su gran dificultad para resolver una de
ón. Hemos avanzado en la conversación y hemos
listintas modalidades de indagación antes desc
tecedentes que hemos logrado reunir quedam
ión, precisamente, de que las piezas no calzan,
an incoherencia en lo que se nos presenta. Recor
:o, que ello no es de extrañar. La persona que n(
.a información, la que tiene el problema, tiene pre
tades para resolverlo y, como tal, enfrenta una sit
:rencia. Por un lado, quisiera resolver lo que lo aq
ro, no sabe cómo hacerlo. No es de extrañar por
:os mismos veamos las cosas de una manera par(

'ero al decir que el otro es incoherente, lo que es
), en rigor, es movernos hacia la retirada. Las co:
:ntes o incoherentes por sí mismas. Las cosas son (
herentes para un determinado observador que b1
5 de ellas. La incoherencia, por lo tanto, es un

sentido a una situación particular. Es un juicio (
tricto, no habla de la situación, sino de su capacid;
rla adecuadamente. En vez de luchar contra la su
incoherente, en la medida que este observado:
e el problema tiene que ver con él, cambiará de f
i a revisar críticamente su propia interpretación.
eside la incoherencia.

vez que el observador cambie la mirada y en vez
:ia fuera, la dirija ahora hacia sí mismo, las posibi
mbiar. La pregunta clave que ahora debe hacerse e
que esta situación resulte coherente? ¿Cuál es l:
tá faltando? Esa es, exactamente, la pregunta orto
gunta que se orienta a encontrar la o las piezas c
irle coherencia a una situación que aparenteme
n este sentido, esa pregunta busca remediar la su
ncia y en tal sentido corrige, o busca hacer "co:
interpretación que poseemos de ella.

minemos ahora el juicio de invalidación que el obse
ia sí mismo: el que llamamos; el juicio interior. I
mos al borde de la rendición. Sentimos que no
le resolver la situación que enfrentamos. No es
el caso anterior, culpando a la situación. Por el co
mos a nosotros mismos. ¿Pero no era acaso eso
hacer? ¿Cuál es entonces el problema? El pro
;, es la retirada. En el juicio interior hay diversos as
dos. El primero de ellos guarda relación con el
rmalmente no está dirigido contra la interpretaci
nerado, sino hacia nosotros mismos, hacia la persc
llo tiende a cerrar el espacio que podría conduc:
l problema. El problema somos nosotros. De :

de tirar la toalla.

Qué opciones tenemos? Hay varias. Podemos, po
lo mismo que planteábamos en el caso del juici
r nuestra propia interpretación y tratar de encont
e parecieran faltarle al puzzle. Pero existen otras al
e ellas, particularmente cuando enfrentamos prob
n a personas y, por lo tanto, arrastran las interp
as hacen, es dar vuelta la dificultad. Ello implica ju
lidad de aceptar que la interpretación que encaran
erencias. Así como el acontecer no es nunca incoh
nos decir lo mismo con las interpretaciones. Em
nciamiento radical, podríamos sostener que las inte
n siempre, en algún nivel, incoherentes. Esto es l
strado el deconstruccionismo al que hacíamos pre
ncia. Puede que no seamos capaces de descubrirl
nos que en algún momento alguien lo hará. Y si
do a la experiencia de que una determinada interpr
esenta como incoherente, en vez de invalidarme a
ambién la alternativa de que explore esa incohere
. interpretación.

Quiero dar un ejemplo de lo que acabo de señalar. C
erra, trabajaba en mi tesis de doctorado, tuve que en
pensamiento filosófico de Hegel. Me acuerdo d
o su obra *La ciencia de la lógica*. No fue aquella una e
labía muchos momentos en los que creía no entende
, sin embargo, que en la medida en que le dedicaba m
os de los temas que en un momento me quedaba
se me aclaraban. Pero hubo un determinado mom
ntí completamente atascado. Hegel hacía algunos p
os que simplemente no lograba comprender.

que un determinado día me dije, "Ya le he dado a
tiempo para que logre aclararme lo que sostiene
ué pasaría si en vez de decir 'no lo entiendo' dijera
 ¿Qué pasaría si en vez de hacerme yo el respons;
ción de incoherencia, lo hiciera responsable a él
ratara de demostrar que lo que Hegel señala simpl
erente?". No olvidemos que la gran diferencia en
el anterior es que ahora estamos en el terreno dis
anto, en el terreno de las interpretaciones.

de ese momento, el problema se disipó y salí de inn
scamiento. El problema inicial que me había lle
incompetente lo convertía ahora en una incomp
o Hegel. ¿Era esto así? Obviamente, no. No de
opia solución pueda ser completamente destruid
 pueda llegar a darle a Hegel un sentido que en
nte no pude. Pero, con lo que había hecho, resolv
iblemas importantes de los diversos que abordab;
os pocos meses la terminaba. Pues bien, este gir
n corresponde también a lo que llamamos una i
gonal. Pero, en este caso, en vez de disolver la af
icia inicial, el camino que he seguido la ha profun
urado ofrecer una interpretación alternativa que,
ella coherente, busca precisamente develar, denur
icia inicial. Y, en ambas situaciones, la del juicio e
icio interno, la intención de coherencia ha prima

emos que la matriz indagativa que acabamos de de
un alto potencial.

ombinación de estas cuatro modalidades indagativ
vertical, transversal y ortogonal) se proyecta más
le las meras preguntas. Hemos señalado que la inda

tivas, cuando son utilizadas de manera combi

ten ganar importantes competencias en la acción

cesos que desencadenan resultados innovadores y

portante, por lo tanto, aprender a desenvolverse c

maestría en su ejercicio. Quien lo haga estará ap

del pensar efectivo.

No creemos que sea posible hacer una suerte de ing

niento. Sabemos que existen múltiples modalida

tes– de pensar. No se trata, por lo tanto, de uni

ninado proceso de pensamiento, de comprometerr

ninado método para pensar. Con todo, consideramo

nientas del indagar, usadas en combinaciones divers

cerse en prácticamente toda actividad de pensamiei

ien logre manejarse en ellas, puede esperar que ell

pensamiento más profundo, más innovador, más

ndolo, no sólo se gana en la experticia propia del

imbién –y ello es lo más importante– en un enriqu

ida.

o que hemos dicho con respecto a las modalida

ón transversal y, muy particularmente, sobre la i

nal, pudiera ser todavía muy abstracto y confuso

e serlo, creemos conveniente entregar un ejemplo

os, de manera concreta, cómo jugaron un detern

os dos tipos de indagación. Se trata de una inter

g, área en la que tengo un desempeño frecuente.

sí como hay preguntas, hay también respues

mo toda pregunta abre el espacio para una respu

sta remite a una pregunta. Cada término requiere

a una proposición y que toda proposición supo
n previa. El hecho de que la indagación conduzc
ón pareciera ser obvio. La indagación lleva cons
vidente, su carencia, y esta carencia busca ser sati
llenada con una proposición.

elación inversa, sin embargo, la relación de q
ón supone una indagación, no siempre es obvia
ue la proposición llena, en la medida que ella sa
a que originalmente la produjo suele disolverse y
es siempre reconocible. Ello se traduce en el he
los en un mundo de proposiciones en el que no se
r que ellas remiten a un momento previo de inda
en un mundo de respuestas que ha olvidado sus p
rdemos lo que hemos dicho antes sobre la filos
r. Lo que él hace es precisamente reposicionar, v
obre la mesa, la pregunta por el ser, al sostener que
'el olvido del ser''. La respuesta que disponíamos
gunta, reconoce Heidegger, ya no hace sentido.

nportante, por lo tanto, aprender a restablecer el
respuestas a partir de las cuales vivimos y las pre
1 momento las suscitaron. Ello se traduce en la
iviendo una vida auténtica, sin percibir que gran p
omado de prestado. En parte, ello es inevitable. Lo
nos seres históricos y no podemos evitar el tener c
. historia en nuestros hombros. El problema no c
: todas las respuestas a partir de las cuales vivimo
nte no es posible.
embargo, creemos que existen razones important
der la necesidad de comenzar a discriminar las resp
s, que estamos dispuestos a aceptar, de aquellas c
examinar críticamente. Y las razones que percibi

)s viviendo la crisis de un determinado paradigma
un paradigma que durante muchos siglos fue heg
ıradigma, que llamamos la ontología metafísica,
sis profunda de sentido y muestra su creciente in
sponder satisfactoriamente a los problemas qu
jeres y los hombres de nuestra era.

ues bien, muchas de las respuestas que hemos
butarias de ese gran paradigma en crisis y, por l
ı, igual que él, sus propias insuficiencias. Cuando
de, lo hace con todo lo que lleva adentro. No e
ɔ en altamar, aceptar que el barco se hunda y procı
ɔ a todas las personas, sino también a todo el inn
rán salvar algunas personas, sin duda, pero ellas
nuy diferentes de como inicialmente se subieror
endo otros, salvarán sus vidas.

n una tormenta de sentido, como la que estamos
, por lo tanto, fundamental revisar las respuestas q
incapaces de sostenernos. Para hacerlo, lo más
ınstruir las preguntas a las que ellas respondían. I
ın de tales preguntas adquiere múltiples formaɛ
ellas pueden, efectivamente, asumir la forma de ɪ
ılarmente cuando revisamos, por ejemplo, nuestrɛ
Toda explicación presupone una pregunta por el '
ı. Por lo tanto, es relativamente fácil reconstruir la
generado una determinada explicación.

ero nuestras respuestas son más que explicacio
ı también la forma de prácticas, de cosas que h
hacemos de determinadas maneras. Todo se hace
ı manera. Todo posee una forma. Pues bien, tanı

os. Para llevar a cabo esta reevaluación es impo
sas prácticas, no necesariamente a una pregunt
etud o al deseo del que ellas buscan hacerse car
s, las inquietudes y los deseos son, por sí mismos,
ía se caracteriza como "intencionales". Ello no si
even necesariamente una intención subjetiva d
e que las ejecuta. El término "intencional" simple
hecho de que están dirigidas hacia algo, que impl
nto que las saca de sí mismas hacia algo diferen
chas, se dirigen.

en día no podemos seguir repitiendo todo lo qu
pasados previamente hacían simplemente por el
los lo hacían. En repetir, en rigor, no hay proble
le aducirse que es una razón aceptable el que ha
como las hacemos, precisamente porque nuestro
sí las hacían. Ello implica respetar la tradición de
los. El problema reside en el hecho de que much
nos hoy ha perdido sentido. Muy posiblemente lo t
pero, en muchos casos, ya no lo tiene. Por lo tanto
cto de la inercia, hay mucho de lo que hacemos (a
incluso de lo que pensamos o creemos (obser
do lo examinamos, cuando lo evaluamos crítica
nos que ha perdido todo sentido.

ie ha expresado este dilema en mejores términ
e. Toda su filosofía se orienta a una gran conclu
l de reevaluar nuestros valores. Reevaluar aquello c
uestro actuar y en nuestra forma de vivir. Hacer
s que yacen detrás de nuestras explicaciones, reco
iones y los deseos que sostienen a nuestras pr
cerlo, estamos condenados a vivir nuestras vidas
inautenticidad. Pero, al hacerlo no sólo descubr

se disolvieron, a preguntas que muchas veces pei
etamente reformuladas, a preguntas frente a las c
encontramos respuestas muy diferentes. Pero e
priremos al reconstruir aquellas preguntas a las qu
s respuestas desde las cuales vivimos.

Decíamos que podíamos reconocer dos campos a pi
podíamos justificar la necesidad de examinar crítica
stas que orientan nuestra vida. El primero de ellos, e
nente, es de carácter histórico. Estamos viviendo una
le sentido por el derrumbe del paradigma ontológico
indo campo es estrictamente individual. Obviamei
s no están separados y el primero presiona muy fu
gundo. Pero, incluso, si obviáramos el primero, con
valor que podamos conferirle al vivir una vida autén
pr sí mismo el desarrollar una capacidad para discrin
s respuestas a las que vamos a otorgarle autoridad
is vidas y aquellas cuya autoridad cuestionaremos.

Vivimos como si fuéramos los amos de nuestras
eral, eso no es más que una ilusión. En rigor, no
plenamente. Pero tenemos la opción de avanzar
i, de ganarnos un lugar en el centro de comando i
icia. Podemos evitar ser meros esclavos pasivos
ilusión de ser libres. Esa libertad, aunque parcia
ios aspirar a otra, podemos procurar conquistarl
pr derecho concedida. Hay que ganarla. Entendi
z: nuestra vida no es necesariamente nuestra, au
emos otra cosa. La autenticidad es conquista.

Despertar de la ilusión de que nos conocemos, de
estamos realmente a cargo de nuestras vidas, de
somos libres y de que nuestras vidas están vivi

ıe podremos tener en nuestra existencia. Una v
ıos a este reconocimiento, todo pareciera camb
la dirección de la vida se alteran. Asumimos un ş
ısabilidad sobre nosotros mismos que antes no
Descubrimos en nuestra capacidad indagativa ı
nientas más importantes del saber vivir. A partir
ı, se nos cierra la opción del retroceso, no hay re
os descubierto, con Sócrates, que "una vida no in
e ser vivida". Y hemos descubierto, con Nietzscl
la oportunidad de hacer de nuestra vida "una c
ıitamente nos hemos convertido en artistas.

preguntas suelen ser el eslabón entre lo que es y
ɛr. Al cuestionarse lo que es o, al menos, lo que aµ
del ser nada sabemos, la indagación abre la posi
r lo que podría ser. Al hacerlo sobre nosotros m
a posibilidad de llegar a ser lo que podríamos
ı promesa que cada ser humano lleva consigo.

"Quien nunca cambia sus opiı
vive en aguas esta
en las que crecerán re
(William

Weston, enero d